LES BONHEURS DE LA VIE

DU MÊME AUTEUR

Danse avec ta vie, L'Archipel, 2013.

Ne vous fiez pas aux apparences. Entretiens avec Didier Varrod, Plon, 2003.

La Captive, roman, Ramsay, 1997.

Et si c'était vrai..., Ramsay, 1995.

Chemins de lumière, JC Lattès, 1993.

SHEILA

LES BONHEURS
DE LA VIE

l'Archipel

Le site officiel de Sheila :
www.sheilahome.com

Notre catalogue est consultable à l'adresse suivante :
www.editionsarchipel.com

Éditions de l'Archipel
34, rue des Bourdonnais
75001 Paris.

ISBN 978-2-8098-2050-8

Knowing the truth is the only way to become an adult.
Accept it! It's the only road
to become a better human being.
Forget it! You will become a free new soul.

« Connaître la vérité est
la seule façon de devenir adulte.
Accepte-la ! C'est la seule route pour devenir
un meilleur être humain.
Oublie-la ! Tu deviendras une nouvelle âme libre. »

Il n'est jamais trop tard !

Aujourd'hui comme hier, je continue de sillonner la France pour exercer mon métier de chanteuse – disons plutôt ma passion. Pas assez à mon goût, mais suffisamment pour trouver le temps de vous parler, de vous embrasser et de savourer le partage qui nous lie depuis plus de cinquante ans.

Lors de nos rencontres, ce sont toujours les mêmes questions qui reviennent :

— Mais comment faites-vous pour rester comme vous êtes ? Comment faites-vous pour avoir toujours autant d'énergie ?

Questions régulièrement suivies des trois petits mots qui tuent :

— … à votre âge !

Parfois encore, vous me dites :

— Vous nous rappelez notre jeunesse. C'était le bon temps ! Hélas, nous sommes vieux maintenant…

À chaque fois, je ne peux m'empêcher de sursauter. Et je m'empresse de vous répondre, en fronçant les sourcils :

— Comment ça, vieux? Vous plaisantez, j'espère? Regardez-vous, regardez-moi: nous avons la vie devant nous. Il suffit de l'avoir décidé!

Ma réponse vous fait sourire. Et votre sourire me réjouit. De temps à autre, certains d'entre vous n'hésitent pas à me faire cette confidence qui me fait pousser des ailes:

— Vous ne vous en rendez pas compte, mais vous nous faites tellement de bien que vous devriez être remboursée par la Sécurité sociale!

En attendant, s'il y en a une qui fait faire des économies à la Sécu, c'est bien moi! Et pourtant, je n'ai rien d'un être exceptionnel. C'est cela dont j'aimerais vous convaincre.

Dans la vie, certaines décisions sont réfléchies. D'autres sont instinctives. En ce qui me concerne, plus les années passent, plus mon instinct a tendance à prendre le dessus. Et vos remarques m'ont convaincue de reprendre la plume.

J'ai envie de vous convaincre, détails et preuves à l'appui, que personne n'a le droit de dire: «À mon âge, c'est trop tard.» À force de la répéter, cette affirmation vous sape le moral et vous mène tout droit dans le mur.

Pourquoi vous fermer à la beauté de la vie? Au bonheur de se lever le matin? Aux projets qu'il est encore temps de concrétiser? À la fierté d'aller au bout de vos rêves? De guider votre corps, votre tête, votre âme vers ce à quoi vous aspirez?

Car le bien-être se travaille, comme le reste. Et la forme, ça se cultive!

Considérez que le livre que vous venez d'ouvrir est moins un livre qu'un ami. Un peu comme cette chanson, enregistrée sur votre portable, que vous écoutez lorsque vous avez besoin de vous sentir bien.

L'objectif de ce nouveau rendez-vous est de vous livrer quelques-uns de mes secrets pour être heureux, se sentir bien en sa propre compagnie et devenir... invincible!

J'aimerais que ce livre vous remette droit dans vos bottes. Si je ne l'ai pas écrit plus tôt, ce n'est pas par hasard: il m'a fallu le temps des rencontres, de l'apprentissage, de l'enseignement et de l'assimilation. Mon expérience, mes années de travail, ma gestion du yin et du yang m'ont donné cette force qui parfois vous impressionne.

Dans les pages qui suivent, j'aborderai tous les sujets qui nous préoccupent, en tâchant, à partir de mes propres solutions, de vous apporter une réponse adéquate. Je vous raconterai comment prendre confiance en vous, exposer fièrement votre corps et vos idées, arborer un sourire qui éclairera votre visage à rendre jaloux vos amis, qui ne vont rien comprendre à ce changement!

J'essaierai de vous faire prendre conscience de toutes vos potentialités, de la réserve d'énergie que nous avons tous en nous.

Car dites-vous bien que, non, il n'est JAMAIS trop tard!

Tout le monde possède les mêmes forces. Il suffit de les connaître et de savoir les utiliser. D'apprendre à se débarrasser des mauvaises habitudes, à redevenir des gamins qui savourent la vie. De ne pas gâcher notre plaisir et d'y croire avec un enthousiasme que rien ne saurait inhiber.

Ensemble, nous allons être forts et beaucoup nous amuser – car dites-vous bien que le rire reste la meilleure des vitamines pour le moral!

Avec vous, je veux partager des conseils, des exercices, des étirements et des recentrages que je pratique régulièrement. Ils m'ont permis – et me permettent toujours – de jouir de la vie avec bonheur, avec la spontanéité de l'enfant qui s'émerveille de la couleur des fleurs ou du vol des papillons.

N'ayez aucun doute sur votre corps. Nul besoin d'avoir vingt ans pour croire en la vie et commencer à révéler les magnifiques potentialités enfouies en vous.

Attention, pas d'affolement: à l'impossible nul n'est tenu! Mais, avec persévérance et entêtement, on finit toujours par gagner, par trouver la douceur de vivre qui change les épines en pétales de roses.

Ensemble, nous allons nourrir l'«arbre de vie» qui nous tient debout. L'air léger, la tête haute, les poumons prêts à distribuer l'oxygène indispensable à la survie de nos cellules, nous apprendrons à faire de nous-mêmes une nouvelle personne. Cette expérience sera la nôtre.

Je me réjouis de vous emmener dans un monde que je connais bien: celui des «positifs», ceux qui ont décidé de combattre l'impossible!

Prêts à commencer une nouvelle vie?
À nous de jouer!

1

Quand rien n'est plus comme avant

Toute vie est faite de hauts et de bas. Et je n'ai pas dérogé à la règle. De l'histoire la plus banale à la plus grande aventure, rien n'est insignifiant. Tout mérite d'être vécu et, surtout, compris.

Curieuse de nature, j'aime apprendre, ressentir, comprendre, pour toujours avancer. Au fil de mes expériences, de mes rencontres, de mes lectures, j'ai appris à mieux me connaître. Ma vie est devenue plus riche, mon regard sur les autres s'est modifié, mon horizon s'est ouvert.

Le début de ma transformation a commencé avec vous. Avec l'amour profond des uns – sans oublier la haine de quelques autres.

Comment ne pas être changée de fond en comble lorsque, comme moi, on partage sa vie avec des milliers de personnes ? Après toutes ces années de fidélité sans faille, il était grand temps que je partage avec vous mes expériences de vie et quelques conclusions qui m'ont permis de progresser.

Pour commencer, j'ai choisi un vaste, très vaste sujet. J'aimerais aborder avec vous ma vision personnelle de l'univers, que je nomme «l'Essentiel».

Les modifications ou les changements radicaux de nos vies sont très souvent les résultantes de chocs émotionnels profonds: la perte d'un proche, l'annonce d'une maladie grave, un licenciement, une mise à la retraite prématurée...

Je peux en témoigner. Un des plus grands bouleversements de mon existence est survenu à la suite d'un séjour forcé à l'hôpital, à cause d'une septicémie qui a failli me coûter la vie.

J'ai toujours été une «dure à cuire». Désireuse de respecter mes engagements professionnels à tout prix, j'avais tardé à me soigner. Résultat: départ pour l'hôpital à 3 heures du matin, en urgence, dans la voiture des pompiers. Opération, puis diagnostic réservé des médecins. Quatre jours entre la vie et la mort, puis le verdict: septicémie.

De ces moments douloureux, je n'ai gardé aucun souvenir. Mais, gisant sur mon lit, j'ai fait une expérience tout à fait extraordinaire. Ce n'est qu'après ma guérison que j'ai su mettre des mots sur ce phénomène: j'avais vécu un «voyage hors du corps», un passage. Totalement en apesanteur, je planais au-dessus de moi-même. En bas, dans un lit tout blanc, une petite chose amaigrie qui n'était que souffrance, encore reliée à la vie par des tuyaux et des drains qui la transperçaient de part en part: moi.

Je ne sentais plus rien. Rien ne pouvait plus m'atteindre. Derrière mes paupières closes, je distinguais une sorte de tunnel conduisant vers une source de lumière blanche. Je flottais, attirée, aveuglée par cette clarté chaude et rassurante, empreinte de douceur et de plénitude. Au bout de ce tunnel, il n'y avait que du réconfort. Des entités accueillantes m'entouraient. Je discernais confusément quelques visages familiers que je cherchais, mais en vain, à reconnaître.

Combien de temps suis-je restée ainsi suspendue? Je ne saurais dire. Ce dont je suis sûre, c'est que je ne pouvais pas résister à l'attraction de cette lumière. Il y avait là-haut tant de sollicitude que je ne voyais aucun inconvénient à me laisser définitivement aspirer.

Alors la question cruciale s'est posée à moi: partir ou rester? J'étais si bien, baignée de tant d'amour! Quelle folie de renoncer à la paix qui régnait là-haut! Mais sans doute le moment n'était-il pas encore venu de m'en aller. J'étais rappelée sur la Terre pour réincorporer mon corps, lui rendre sa vie et continuer. Il me fallait redescendre.

Si j'ai voulu vous parler de ce «voyage», c'est pour mieux expliquer les changements qui, par la suite, n'ont pas manqué de modifier mon comportement.

À dater de cette année 1987, mon rapport à la vie, au sens large, a changé du tout au tout. On ne sort pas indemne d'une telle expérience. On en revient à la fois rempli et déboussolé, en quête de repères qui ont tous changé.

Certaines valeurs qui vous paraissaient fondamentales et vous portaient à bout de bras vous semblent soudain terriblement illusoires.

Une pulsion venue du fond de vous-même change votre manière d'être. Poussé par ces vibrations, vous utilisez vos cinq sens différemment. Pourquoi?

Parce que vous venez d'en découvrir un sixième : l'expérience.

Voilà pourquoi il me semblait important de vous parler tout d'abord de cet énorme choc, qui a déstabilisé et modifié à jamais l'être que j'étais.

À la suite de cette expérience, afin de tenter de comprendre ce qui m'était arrivé, je me suis plongée dans des ouvrages spécialisés.

C'est ainsi que j'ai découvert la pensée de Krishnamurti, un philosophe d'origine indienne dont l'enseignement est divulgué dans le monde entier.

Lorsque j'ai ouvert un de ses livres pour la première fois, j'ai cru que je n'y comprendrais jamais rien. Ma pensée, encore façonnée par une éducation rationnelle, comme celle de tous les enfants français, refusait d'avancer vers une nouvelle façon de voir les choses.

Alors je me suis concentrée. J'ai fait une seconde tentative pour entrer dans son univers. Page après page, cette lecture suscitait en moi des idées complexes et déstabilisantes. L'équilibre de l'être cartésien que j'étais s'est mis à chanceler.

Ce n'est pas toujours facile de se remettre en cause ! Lorsque vous pensez avoir touché du doigt une certaine vérité, vous tombez de haut en constatant qu'un philosophe issu d'une autre culture vous propose une approche très différente. Vous comprenez alors que vous ne saviez rien. C'est comme une citadelle qui s'effondre. Mais pour mieux se reconstruire.

Livre après livre, j'ai continué à m'intéresser à ce nouvel enseignement. Krishnamurti m'a fait grandir. Il m'a fait découvrir un autre monde et des quantités de choses, la plus inestimable à mes yeux étant qu'il faut commencer par s'oublier un peu pour se fondre dans la totalité, pour s'intégrer dans le «Grand Tout».

Nous sommes à la fois l'arbre que nous voyons, la fougère que nous foulons dans les sous-bois et l'oiseau qui chante au lever du jour. Cette vision m'enchante et m'inspire un profond respect pour tout ce qui est et vit autour de nous. C'est une révélation que je dois à Krishnamurti.

2

Les leçons de la nature

Le « Grand Tout », je l'avais éprouvé sans le savoir avant même de le découvrir à travers les ouvrages de Krishnamurti.

Je me suis toujours sentie en phase avec la nature. J'ai une soif incroyable de grand vent, de senteurs, d'air frais. Il est vital pour moi de marcher, de respirer pleinement, de regarder tout ce qui m'entoure.

La nature est un monde si extraordinaire, avec ses variations, ses saisons, ses couleurs ! Pour peu qu'on sache la regarder, elle nous donne de vraies leçons de vie.

L'épisode que je veux évoquer maintenant remonte à la tempête de décembre 1999.

Habitant à la campagne depuis de nombreuses années, j'ai la chance d'être entourée de verdure. Dans le parc de ma maison, très arboré, s'élevait un vieux cèdre bleu de toute beauté. Du haut de ses vingt-cinq mètres, il dominait fièrement la bâtisse et semblait inébranlable.

Cette nuit-là, pourtant, le vent eut raison de sa superbe en l'étêtant pour le ramener à une hauteur ridicule de quatre mètres, ne laissant sur la circonférence impressionnante de son tronc que quatre énormes branches qui continuaient de caresser le sol.

J'étais désespérée. Mais pour rien au monde je n'aurais voulu couper ce qui restait de cet arbre magnifique. Il resta donc là, triste et penaud, plusieurs années durant. Jusqu'au jour où j'ai constaté, sur deux des branches restantes, un nouveau départ de pousses érigées vers la lumière.

À l'heure où j'écris ces lignes, ce seigneur du jardin a dressé deux têtes vers le ciel. Elles montent aujourd'hui à plus de quinze mètres et parviendront un jour, j'en suis certaine, à leur ancienne hauteur. Cela grâce à la terre qui porte si bien son nom de «mère», puisqu'elle a mission de nous nourrir. Et Dieu sait qu'elle continue de le faire, malgré l'ingratitude de l'homme à son égard.

Selon moi, notre corps est à l'image de cet arbre. Nous avons besoin de la force de la terre pour recharger nos batteries. Le corps humain recueille toutes les forces de son environnement: celles du ciel, par la tête, le buste, les bras et toute la partie haute de notre être; celles de la terre, par les pieds, les jambes, le bassin.

Puisant l'énergie du sol, nos pieds recèlent de nombreux points secrets qui sont des centres nerveux essentiels de notre être. C'est par eux que les forces de la terre traversent notre corps pour nous mener vers le ciel. Ces deux connexions sont les piliers d'une règle de vie par laquelle la puissance de la terre nous guide vers la libération du ciel. Comprendre cela, c'est se rendre compte que cet axe fait tenir l'homme debout. On voit alors la vie différemment.

Un mental concentré, un corps traversé par les forces Terre et Ciel obéissent au même principe que les vases communicants : l'un seconde l'autre. Ils sont indissociables. Fort de cette conscience du Tout dans l'univers, on devient un être droit qui tire profit de ce que nous offrent le ciel et la terre.

Cette technique d'équilibre du corps trouve des applications dans de nombreux domaines. En danse classique, par exemple, votre professeur vous expliquera que, pour avoir une bonne tenue, il faut penser que vos pieds sont solidement ancrés au sol, du talon à la pointe, tandis que le haut de votre corps est léger et rejoint le ciel.

Pour mieux le visualiser, imaginez que vous êtes coupé en deux. Tout ce qui est au-dessus de votre nombril est attiré vers le haut et donc parfaitement tenu. Le centre de votre tête est soutenu par un fil invisible qui, en vous tirant vers le haut, vous relie au ciel. C'est ce qui donne aux danseuses cette attitude caractéristique que l'on appelle le « port de tête ».

On peut aussi comparer notre corps à un élastique : il suffit de le tendre sans excès pour l'utiliser au mieux. Il est d'ailleurs conçu pour ça !

Chacun de nous naît fœtus et redeviendra fœtus. Regardez les personnes âgées : on les voit se voûter, se courber de plus en plus et perdre des centimètres malgré elles.

Notre corps a tendance à se tasser. C'est le revers d'un avantage qui nous est propre, à nous les humains : celui de se tenir debout.

Rendons-nous à l'évidence : sans le vouloir, on rapetisse sous l'effet de la pesanteur. Heureusement, il existe des moyens simples pour atténuer l'effet des années. Par exemple, cesser de se focaliser sur le temps qui passe et positiver sur ses projets, regarder vers demain.

N'oublions pas non plus l'importance de la respiration.

Dans mon premier livre, *Chemins de lumière*[1], j'ai évoqué la respiration par les pieds. Je sais, ça fait toujours autant rire ! Malgré tout, un petit rappel s'impose.

Respirer par les pieds ne peut faire de mal à personne. Dans les moments de grande fatigue, de coups de nerfs, de gros efforts ou d'entraînements sportifs, je n'ai qu'une seule préoccupation : les pieds, toujours les pieds !

Tout se joue dans la respiration et la visualisation. Les deux pieds parallèles, bien plantés dans la terre, prenez une très profonde inspiration par le nez, en imaginant qu'un torrent d'or vous pénètre, aspiré du sol par la plante des pieds.

L'or, liquide chaud et brillant, représente les forces et les énergies de la terre. Faites remonter ce fluide dans les veines de vos jambes, puis à la poitrine, pour arriver enfin jusqu'au sommet de votre crâne.

---

1. JC Lattès, 1993.

Au beau milieu de la fontanelle, grâce à l'expiration, cet or se transforme en un liquide boueux qui va redescendre à l'arrière par la nuque, les épaules, les hanches, les mollets, pour retourner dans le sol par vos talons. Ce «fleuve de boue» correspond à toutes les toxines et autres déchets accumulés par votre corps pendant l'effort ou à la suite d'une réaction nerveuse ayant provoqué une montée d'adrénaline.

Avec ces petites astuces de visualisation, j'aimerais vous convaincre qu'il ne s'agit pas seulement d'images, mais d'authentiques solutions pour vivre mieux.

La visualisation: quel moyen formidable d'utiliser les ressources de la terre pour nettoyer les mauvaises énergies! Si vous la pratiquez souvent, vous verrez que la connexion avec les éléments deviendra plus facile au fil du temps. Solution indispensable et magique, elle fournit l'oxygène qui régénère à chaque instant les cellules de votre sang, irriguant votre cœur et votre cerveau. Pratiquée régulièrement, cette respiration vous aidera à régulariser votre stress et votre récupération.

3

Se préparer à une longue vie

Un nombre incalculable de chercheurs travaillent à l'allongement de la vie. L'enjeu des prochaines décennies, en effet, sera de rester jeune le plus longtemps possible.

Lorsque j'étais enfant, toute personne de plus de cinquante ans me paraissait âgée. Et, passé soixante ans, oh là là... On était un vieux, un «croulant», comme on disait à l'époque!

Le discours qui consiste à décréter que monsieur devient inutilisable à cinquante ans et madame à quarante ans est une pure stupidité. De même, les couples pourront-ils résister à l'usure des années qui passent? Pensez que, de nos jours, on cite en exemple les couples qui passent la barre des sept ans de durée... Qu'en sera-t-il demain, alors qu'avoir soixante ans est devenu la chose la plus banale du monde?

Les grands-parents qui éreintaient leurs organismes et usaient leur vie aux travaux des champs, c'est bien fini. Aujourd'hui, à la soixantaine, on est jeune et en pleine forme.

Ici, je ne peux m'empêcher de repenser à ma grand-mère Georgette, qui a quitté notre monde à cent quatre ans, après une vie de labeur ininterrompu. Pour ses soixante-dix ans, elle s'était offert une estafette couleur corail. Elle avait décidé d'entamer une nouvelle carrière de représentante. Entêtée et indépendante comme elle le fut tout au long de sa vie, elle se mit à avaler les kilomètres au volant de son véhicule pour vendre des biscuits Belin. Elle attaquait ses journées tirée à quatre épingles, toujours apprêtée et maquillée, parfois coiffée d'un chapeau.

Il n'y a pas d'âge pour devenir fou… ou folle. À quatre-vingts ans, Georgette nous a annoncé sa décision : elle était décidée à divorcer de son Marcel de mari ! Je la soupçonnais depuis longtemps d'avoir une vie amoureuse mouvementée : elle semblait si heureuse de quitter chaque matin son gueulard d'époux !

Georgette n'avait jamais été malade. On lui diagnostiqua un cancer de l'intestin, mais elle refusa toujours de l'entendre. À l'époque, la médecine tâtonnait encore dans ce domaine. On l'opéra néanmoins pour lui retirer trente centimètres de boyau. Et Georgette mourut sans même savoir qu'elle avait été terrassée par « un crabe », comme disait mon père.

Je crois avoir hérité de son indépendance, mais avant tout de sa santé exceptionnelle.

En se projetant un tant soit peu dans l'avenir, il est donc possible d'imaginer prolonger notre passage sur Terre jusqu'à l'âge de cent vingt ans – en bonne santé, bien entendu !

Comment partir à la retraite à soixante ans, lorsqu'on n'a parcouru que la moitié de sa vie ? Parce que nous sommes appelés à crapahuter plus long-temps que nos parents et nos grands-parents, résister au temps qui passe devient notre plus grand défi. Il est donc vital de s'y préparer. Car comment vivre plus de cent ans avec un corps, un reflet que vous n'aimez pas ? Impossible ! Ce serait du masochisme pur et simple.

Le plus grand risque qui nous guette est de prendre racine dans un fauteuil, devant la télévision, à la merci des technologies modernes qui ne demandent qu'à tout faire à notre place : répondre au téléphone, éteindre et allumer les lumières, augmenter ou baisser le chauffage, ouvrir ou fermer les volets…

Vu l'accélération des avancées technologiques, vos écrans pourront bientôt remplir votre déclaration d'impôts et commander le dîner à votre place, sans omettre de vous rappeler qu'il est l'heure d'aller dormir ! On n'arrête décidément pas le progrès. C'est à la fois génial… et un peu terrifiant.

Dans ces conditions, il devient primordial de s'aimer, de s'accepter et de considérer son corps comme un produit inoxydable, un objet idéal que l'on doit façonner pour en tirer le meilleur.

La nature est vraiment bien faite. Mais pourrons-nous encore le dire demain ?

Prenons un exemple : à partir d'un certain âge, la vue baisse. Vous cherchez vos lunettes, vous ne les trouvez pas, vous êtes perdu… Quoi de plus horri-pilant ? Contre cette réalité, il n'y a pas grand-chose à faire… Je vous répondrai que c'est aussi une excel-lente façon de ne pas se voir vieillir !

En regardant des photos de moi, j'ai constaté avec amertume certains petits plis disgracieux que je n'avais jamais remarqués. C'est d'ailleurs la raison pour laquelle je déteste me voir en photo : l'instant figé accentue tous les défauts. Eh bien ! la vue qui baisse aide à accueillir cette réalité. Elle permet d'accepter en douceur les effets du temps qui passe, sans stresser outre mesure.

Sans compter qu'une ride d'expression disgracieuse peut devenir un atout qui vous différencie de votre voisin. En un sens, elle exprime votre personnalité.

Sur les couvertures de magazine, que l'on ait vingt ans ou quarante ans, Photoshop répare, gomme, arrondit, dégraisse, remonte, repasse, arrange, perfectionne, rectifie, embellit, rajeunit. Mais soyons raisonnables ! Même avec la meilleure volonté du monde, personne n'a la moindre chance de ressembler un tant soit peu à la femme irréelle, « bionique », fabriquée par la machine. Qu'y a-t-il encore de naturel, de vrai dans tout cela ?

Nous vivons souvent trop vite, surtout dans les métropoles hyperconnectées, envahies par la technologie. Le monde est désormais ouvert à tout et à tous. Les réponses aux questions que nous nous posons nous arrivent si rapidement qu'il serait idiot de ne pas en profiter. Magique et très pratique !

Néanmoins, il demeure capital de savoir prendre son temps. Car le risque existe de se déconnecter de l'essentiel, de la terre et du ciel, non sans conséquence sur notre développement personnel et intérieur. Alors qu'il est si facile d'exploiter les deux aspects de nous-mêmes – notre corps restant malgré tout une pièce maîtresse du puzzle de la vie.

Abus de télé ou d'ordinateur, que se passe-t-il dans notre corps quand nous restons immobilisés trop longtemps ? Dans le *Washington Post* du 20 janvier 2014, je suis tombée sur un article, intitulé « *Don't just sit there* » : ne restez pas assis bêtement comme ça ! S'appuyant sur une étude scientifique, Bonnie Berkowitz y donne d'excellents conseils pour utiliser son ordinateur sans nuire au bien-être du corps. Car le constat est là : rester assis trop longtemps entraîne une chaîne de problèmes, de la tête jusqu'aux pieds :

Organes

① Maladies cardiaques (hypertension, cholestérol).
② Pancréas surproducteur (diabète).
③ Cancer du côlon (mais aussi du sein et de l'utérus).

Muscles

④ Abdominaux mous (hyperdolose).
⑤ Hanches raides (perte d'équilibre).
⑥ Fessiers faibles (perte de stabilité).
⑦ Trapèze (épaules et dos endoloris).

Os et cartilages

⑧ Vertèbres cervicales tendues (déséquilibre permanent).
⑨ Colonne vertébrale rigide, durcissement des disques.
⑩ Hernie discale.

Circulation

⑪ Cerveau brumeux.
⑫ Thrombose veineuse.

Que faire? C'est simple : adaptez votre espace de travail à votre corps, et non l'inverse.

Commencez par surélever le moniteur, afin que le haut de l'écran se trouve à hauteur de vos yeux.

Vos yeux sont mobiles : à eux de balayer l'écran. Inutile de déplacer votre cou, vos épaules ou votre dos, qui doivent rester immobiles.

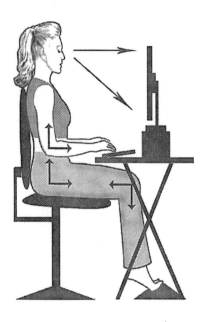

Ensuite, relevez vos pieds sur une cale, afin de favoriser une bonne circulation.

Adaptez la position de votre clavier et sa hauteur, de façon que vos bras, vos jambes et votre dos forment des angles droits.

N'oubliez pas de faire des pauses régulières, de marcher et de vous étirer pour permettre une bonne oxygénation des tissus et des cellules et autoriser la fabuleuse machine qu'est votre corps à se remettre au travail.

Ces conseils, je les applique en ce moment même, devant mon ordinateur, pour écrire ce livre. Et je peux vous confirmer que je ne connais pas de douleurs de dos! Pensez-y lorsque vous travaillez sur écran. Ce petit effort quotidien peut accroître votre bien-être et faire de vous quelqu'un de droit... dans tous les sens du terme!

4

Stress et antistress

Comment accuser un choc?

J'étais en train d'écrire ce livre, le vendredi 13 novembre 2015, lorsque s'est produit le massacre qui nous a tous détruits, arrachés, lapidés, marqués à vie.

Absente de Paris, je me préparais à passer un week-end tranquille chez des amis. Ni téléphone ni réseau, aucun stress à l'horizon, tout était réuni pour vivre un moment suspendu.

Nous venions de commencer une partie de Scrabble. Les bûches crépitaient dans la cheminée, une magnifique flambée exhalait l'odeur incomparable d'un bon feu de bois. Je n'avais qu'une idée en tête : placer ma lettre X sur un «mot compte triple», afin de repasser en tête!

À quelques pas de nous, dans la pièce voisine, nos amateurs de foot commentaient à grands cris le match au Stade de France, malgré nos suppliques.

Et soudain, un hurlement :

— Oh merde! Des attentats à Paris!

Nous accourons devant la télévision. Je me souviens m'être écriée :

— Ce n'est pas possible !

Nous restons hébétés devant l'écran, incapables d'articuler un mot. Des hommes, des femmes, tués dans les rues de Paris ? Une prise d'otages au Bataclan ? Mentalement, je me vois aussitôt sur scène, en concert. Quelle horreur... Tous ces gens en liesse, heureux de faire la fête, reprenant à tue-tête les morceaux endiablés de ce groupe de rock. Piégés comme des rats...

Puis viennent les images qui vous coupent le souffle et vous font souffrir, mais que l'on ne peut s'empêcher de regarder, comme avalé par l'horreur. On est là, absorbé par l'impensable vérité. Ils ont laminé du même coup toutes ces âmes et notre bonheur de vivre !

J'ai passé le reste de la nuit devant la télé à réagir, rager, pester contre l'aveuglement de ceux qui espéraient encore.

Puis l'annonce est tombée soudainement : « Nous sommes en guerre. »

En guerre ? S'agit-il bien d'une guerre, lorsqu'on supprime froidement des vies en croyant liquider des valeurs ? Cause perdue d'avance car rien, jamais, n'empêchera notre drapeau de flotter, ni des millions de gens d'être prêts à résister pour défendre l'honneur et la fierté d'être français !

Nul n'est préparé à la violence. Sourde et muette, elle avait grandi au milieu de nous tous, tel un alien invisible, se nourrissant de notre liberté pour mieux l'anéantir.

Les attaques terroristes que nous avons connues sont plus pernicieuses que les combats vécus en leur temps par ma grand-mère et par mes parents. Eux aussi avaient eu peur, comme le prouvaient les réponses aux questions que leur posait la petite fille que j'étais. Cette marquise surplombant la porte d'entrée, dont les glaces étaient brisées? Vestige d'un bombardement non loin de Créteil.

À cette époque, l'ennemi était là, mais il était bien visible, et engagé dans une lutte au corps à corps : envahisseurs contre résistants, fierté de ceux de nos anciens qui contribuèrent à la libération du pays en écrivant l'une des grandes pages de son histoire.

Aujourd'hui, la France, pays d'accueil – qui, j'espère, le restera –, est confrontée à un ennemi invisible. Nous sommes aux prises avec une pieuvre dont les tentacules géants nous frappent à l'aveugle. Touchés, c'est vrai ; mais notre cœur est indemne. Notre bannière flottera toujours au sommet des barricades, suivie par des milliers de gens unis par l'esprit de résistance. Comment ne pas repenser à la phrase du général de Gaulle, restée gravée dans les mémoires : «Paris martyrisé, mais Paris libéré!»

La jeunesse que j'admire, prête à affronter un avenir difficile sans baisser les bras, est debout. Filles et garçons, main dans la main, sont forts et beaux. Ils apprennent à leurs dépens que la liberté reçue en héritage a un prix.

Pourtant, avec force, courage et intelligence, ils trouveront la réponse, comme leurs ancêtres : défendre la liberté, l'égalité, la fraternité.

Puis les semaines ont passé. Je ne me souviens pas d'un Noël aussi triste dans le regard des gens. Nous n'avions plus d'entrain, plus envie de rien, si ce n'est de rester enfermés, à l'abri de l'horreur et de la frayeur.

Comment? Je suis hors sujet? Désolée, mais je ne pouvais faire autrement que de laisser parler mon émotion. D'ailleurs, si l'on y réfléchit bien, nous sommes au cœur de mon propos: comment gommer l'empreinte du traumatisme? Car un tel choc laisse des traces profondes en chacun de nous, des traces très difficiles à effacer. Le subconscient, lui, continue de ressasser les images du choc émotionnel.

Voilà pourquoi il est nécessaire d'apprendre à bien respirer. Quel meilleur moyen de donner à notre corps l'air nécessaire qui chassera le stress accumulé en nous?

5

Se faire confiance

Voici une comparaison qui va peut-être vous sur-
prendre. Mais vous verrez que mon analyse, somme
toute, tient la route !

Avec les années, j'ai pris l'habitude de comparer
la vie à un jeu. Si, lorsque vous jouez, vous ne cessez
de gagner, vous vous lassez très vite. De même, si
vous perdez tout le temps, vous ne tardez pas à jeter
l'éponge.

En revanche, si vous trouvez un jeu où vous
gagnez de temps à autre, où vous devez vous accrocher pour avoir le plaisir de passer au niveau supé-
rieur, si vous conservez une chance de recommencer,
sachant qu'avec un peu de patience vous finirez par
franchir une nouvelle étape, alors vous aurez envie de
retenter votre chance, encore et encore, afin de vous
approcher toujours plus près du but.

Telle est la vie : pleine de moments doux, de
périodes difficiles et de temps de latence. Mais,
le but fixé atteint, quel bonheur pour la tête et
pour le corps ! Subitement, plus aucune douleur.

Et l'âme engrange de nouveaux points en vue du score final.

Notre être est un ensemble qui ne réclame que de nous voir au mieux de notre forme mentale et physique. Or, pour traverser la vie avec succès, il ne faut rien attendre des autres et ne compter que sur soi-même. Ce précepte vous paraît un peu rude? Pourtant, votre vie n'est-elle pas, n'a-t-elle pas toujours été entre vos mains? À compter du jour où vous l'admettrez, la vôtre deviendra vraiment différente.

Un exemple. Imaginez que vous soyez le capitaine d'un bateau à voile. À vous d'affronter les tempêtes sans perdre le cap et de saisir les vents qui vous feront atteindre plus vite le point d'ancrage. Autrement dit, à vous de gérer le temps et l'espace… sans oublier de composer avec l'humeur et les tensions de l'équipage!

Cela ne vous rappelle rien? Ce bateau, mais c'est votre vie, bien sûr! Le travail, les enfants à élever jusqu'à leur envol – de plus en plus tardif! –, la maison à tenir, sans oublier les tensions conjugales, car il arrive qu'un couple donne de la gîte de temps à autre…

Chacun de nous, à un moment ou à un autre, se sent avalé, broyé par cette machine infernale qu'est le temps.

Pour s'en sortir, deux possibilités.

Soit vous subissez cette situation, avec toutes les conséquences qui en découlent: tension, mal de dos, énervement, dérèglement, stress… Mais attention: la dépression vous guette ou, plus grave encore, ce qu'on appelle pudiquement une «longue maladie».

Soit vous abordez les problèmes d'une autre façon.

Les remèdes miracles n'existent pas, mais les solutions qui font du bien sont à portée de main. Pour changer votre approche des choses, il suffit de le vouloir.

Commençons par le plus bel ordinateur que la nature ait conçu : votre cerveau. Il dirige votre corps et toute votre vie sans jamais faillir – sauf si vous refusez de l'écouter. Tous nos maux, physiques ou mentaux, sont des signaux qu'il nous transmet pour nous informer, à travers notre corps, que nous ne réagissons pas comme il le faudrait. C'est ce que j'appelle la «surchauffe» !

Votre première résolution doit être de changer votre façon de penser et votre façon de parler.

Dès maintenant, positivez vos pensées, supprimez de vos phrases les formes négatives. Tentez d'extirper le doute de tous vos désirs : pourquoi douter puisque, si vous le décidez, vous pouvez guider votre vie vers le chemin que vous souhaitez prendre ?

Il est extraordinaire de se dire que rien n'est jamais fini, que, bien au contraire, tout avance et progresse.

Ne croyez pas que ce soit facile ! Comme en toute chose, les débuts sont toujours un peu compliqués. J'en suis témoin. En 1990, je m'étais accordé une pause pour me mettre sérieusement à l'écriture. Inutile de vous dire que, dans ces circonstances, ce ne sont plus des doutes que l'on a, mais des interrogations constantes ! Quelles sont mes possibilités ? Mon livre a-t-il de l'intérêt ? Et ce vocabulaire qui me manque… Ces études que je n'ai pu poursuivre…! Il m'arrivait de cacher mes pages sous des piles de magazines. Je me trouvais nulle, sans profondeur. Comme quoi ça arrive à tout le monde!

Ce qu'il faut, c'est refuser de baisser les bras. Persévérer et remettre l'ouvrage cent fois sur le métier, jour après jour. Si d'autres l'ont fait, qu'est-ce qui pourrait vous empêcher d'y arriver?

Pour ma part, j'ai décidé de suivre mon envie, ma première intuition : partager mes rencontres avec des personnes connues ou inconnues. Ce qui est bon pour soi peut toujours servir à d'autres. À travers une interrogation, une comparaison, l'expérience d'un inconnu, le fait d'évoquer une difficulté que vous avez traversée ou éprouvée peut très bien vous aider à la surmonter.

Voilà pourquoi j'ai décidé de m'accrocher et de laisser parler mon cœur. Oubliant les sarcasmes et les sourires en coin, j'ai voulu vous parler de mes vies antérieures. Le *rebirth*, que j'ai eu la chance d'expérimenter avec un spécialiste reconnu, m'a permis, par un système de respiration spécifique, de plonger loin, très loin dans la mémoire de mes cellules.

Chaud, froid, rire, tristesse, peur… Toutes les émotions, quelles qu'elles soient, accompagnent ou précèdent les images qui se bousculent derrière nos paupières closes. Elles nous font découvrir un être encore inconnu pour nous, une vie très lointaine qui a laissé une empreinte indélébile dans notre corps et peut influencer notre comportement d'aujourd'hui.

Mais revenons à vous, à votre volonté. Elle est là, présente en vous, qui ne demande qu'à s'ouvrir pour vous prouver que tout est possible, pourvu que vous choisissiez de suivre vos envies.

Commençons par le plus simple : la formulation des phrases. Combien de fois vous êtes-vous dit : « Je crois bien que je n'y arriverai jamais. » C'est exactement ce qu'il ne faut jamais dire ! Car pourquoi diable n'y arriveriez-vous pas ? Répétée plusieurs fois par jour, cette phrase nourrit votre subconscient. La nuit, tandis que vous dormez, elle s'impose insidieusement à votre cerveau, qui se retrouve irrigué d'informations négatives. Or un cerveau mal guidé vous met dans l'incapacité de réaliser vos envies, source de stress intérieur.

Une envie, une idée, un sentiment sont toujours provoqués par ce que l'on appelle les « mémoires cellulaires ». À l'inverse, si vous vous dites : « Je vais y arriver », soyez certain que ça va marcher, puisque vous-même n'en doutez pas. Un encouragement est toujours le bienvenu, mais rien ne doit influencer votre certitude.

Prenons un autre exemple. Vous êtes-vous déjà dit : « J'aimerais savoir faire du ski, mais j'en suis bien incapable » ? Voilà bien la meilleure façon de courir à l'échec ! Vous venez de le formuler vous-même : « J'en suis incapable. » Cette certitude, que vous vous assénez vous-même, est la garantie de priver votre cerveau de toute chance de succès.

Un de mes amis avait décidé de passer son permis de conduire. Après avoir décroché son code du premier coup, il se lança à corps perdu dans la conduite. Cours après cours, il ne progressait que lentement — passé quarante ans, il est vrai que c'est moins facile qu'à vingt, surtout lorsqu'on n'a jamais été un fan de voiture! On lui conseilla donc de pratiquer la conduite accompagnée. Et d'accumuler les heures de conduite, les kilomètres sur route, sur autoroute, en ville, dans les embouteillages… la totale! Il était fin prêt pour l'examen, qui s'annonçait comme une simple formalité. Mais le jour dit, confronté à l'examinateur, il perdit tous ses moyens et cala au feu rouge. Tout était à refaire!

En parlant longuement avec lui, j'ai cherché à comprendre sa réaction, qui n'avait pas lieu d'être. En réalité, finit-il par reconnaître, il n'avait cessé de se stresser. Le simple fait d'anticiper le jugement de l'examinateur lui faisait tout oublier, même les bases les plus simples qu'il connaissait sur le bout des doigts.

Cette anecdote illustre à merveille la force de notre cerveau. Perturbé par le stress que vous lui communiquez, ce compagnon de route peut devenir en un clin d'œil l'assassin de tous vos espoirs. Voici donc le conseil que j'ai donné à cet ami:

— Stop! Arrête de te mettre en situation d'échec! Tu connais très bien tes capacités, tu l'as déjà prouvé mieux que quiconque. Tu es un vainqueur, donc tu vas gagner! Ne te laisse pas distraire par ce qui t'entoure et reste concentré. Ne dévie en aucun cas de ton objectif: la conduite! Tout le reste est sans intérêt ni importance. Oublie et conduis!

Je vous assure qu'ainsi nous pouvons tous réussir.

6

Savoir positiver

On est souvent trop dur avec soi-même. Pourquoi se flageller? La vie est suffisamment compliquée, inutile d'en rajouter!

Vous le savez comme moi, on n'a pas besoin des autres pour se faire du mal: chacun peut très bien s'empoisonner la vie tout seul. Et il n'y a aucune raison que cela s'arrête, puisqu'on s'enferre dans cette erreur sans même s'en rendre compte!

D'où la nécessité d'une gymnastique particulière, qui ne nous donnera pas de courbatures, mais nous obligera à travailler notre concentration.

Voici un exemple personnel pour illustrer la force de la volonté et du choix.

En 2009, alors que j'avais arrêté de fumer depuis onze ans, je me suis retrouvée entourée de fumeurs sur une tournée. J'ai tenu les six premiers mois, puis j'ai fini par craquer, tirant çà et là une petite bouffée, pour le plaisir. Comme toujours en pareil cas, une cigarette en appelle une deuxième, puis une troisième… Bref, j'ai fini la tournée en fumant modérément. Un an plus tard, la raison avait repris le dessus. J'allais participer à l'émission «Danse avec les stars», il n'était donc plus question de tabac! Même si, pour être honnête, la frustration demeurait. Si bien qu'à peine l'émission terminée j'ai repris la cigarette. Depuis, je n'ai pas réussi à m'arrêter. J'en suis à plus d'un paquet par jour…

Oh, j'entends d'ici vos réflexions: «Elle nous parle de bien-être et de santé, alors qu'elle fume un paquet par jour!» Vous avez raison, mais reconnaissez au moins ma sincérité. Je vous dois néanmoins quelques explications.

Tout au long de cette période, je m'étais mis en tête que ma rigoureuse vie d'ascète – ni alcool ni sucreries, une alimentation surveillée, du sport trois fois par semaine, départ tous les matins à 7 h 30 pour une heure de route, qu'il pleuve, qu'il vente ou qu'il neige – m'autorisait une entorse. Cette petite cigarette, je l'avais bien méritée. Adieu la culpabilité!

Cette excellente excuse a refait de moi une fumeuse. J'oubliais que, le stress et les soucis aidant, une cigarette succède à l'autre, et ainsi de suite… Survient la période d'écriture d'un livre. Face au doute, aux hésitations, on ne cesse d'éteindre, d'écraser et de rallumer l'objet du délit. Cas typique d'un cerveau mal dirigé!

Mon nouveau défi? Reprendre la situation en main. Sortir des tensions, rompre l'habitude, faire un break, seule ou avec un acupuncteur. En serai-je capable? Vous le saurez à la fin de ce livre!

L'orientation de notre pensée fait de nous des vainqueurs ou des perdants. Adopter une pensée positive, telle est la règle essentielle à observer, afin d'acquérir et de conserver en toutes circonstances une énergie à toute épreuve.

L'énergie, comme le reste, se renforce lorsqu'on oriente ses pensées dans un sens positif. Cela peut passer par un travail qui consiste à se dire : « Je peux ! Je veux ! Je gagne ! Je réussis ! »

À mon avis, la bonne façon de capter l'énergie positive à son profit doit obéir à cet ordre :

① Toujours avoir à l'esprit un objectif à atteindre.
② Éduquer et entretenir son goût pour l'effort.
③ Ne pas se laisser influencer ni disperser par des pulsions désordonnées, confuses, sans but précis, afin de ne pas s'épuiser inutilement.

Il est certain que si vous appliquez d'emblée la deuxième recommandation, les résultats positifs ne se feront pas attendre. Votre résistance à la noirceur, à la morosité, s'affirmera de jour en jour. Votre envie de créer, votre capacité à ordonner vos idées clairement se développeront bien vite. Jour après jour, semaine après semaine, vous éprouverez un plaisir réel à constater vos progrès. En réalité, vous aurez mis en place un mécanisme qui s'autoalimentera à chacune de vos initiatives. Tout cela, bien entendu, afin d'atteindre par étapes l'objectif défini.

Ne courez pourtant pas plusieurs lièvres à la fois. Fixez-vous un premier objectif et atteignez-le. Ensuite seulement, passez au suivant. Ne vous laissez pas distraire par les interventions extérieures : tous les conseils ne sont pas bons à prendre, y compris les meilleurs ! Méfiez-vous des faux amis qui ont toujours une idée sur tout et qui ne font que semer le doute dans vos choix. Bien des personnes, souvent sans même s'en apercevoir, importent leurs propres problèmes dans les situations d'autrui. Soyez imperméables à leur influence ! Restez toujours concentrés sur le but à atteindre. Soyez patients et, surtout, entretenez sans faiblir, à chaque instant, votre confiance en vos propres moyens.

Si je n'avais qu'un conseil à vous donner, ce serait donc le suivant : dès aujourd'hui, bannissez le doute de votre esprit. Puisque vous avez décidé d'y arriver, rien ne devra, rien ne pourra entraver votre détermination.

Le doute est le plus puissant des freins. Votre concentration, je ne le répéterai jamais assez, a pour fin de rassembler vos forces, de mobiliser votre énergie et de les décupler.

En suivant cette méthode, votre vie et votre perception du monde s'en trouveront totalement transformées. Cette positivité, cette énergie naissante, grandissant jour après jour, deviendra un réflexe qui ensoleillera vos journées. Chaque matin renouvellera votre envie de mordre la vie à pleines dents.

Non, ne soupirez pas ! N'oubliez jamais que la vie est une lutte. Mais l'effort exigé par ce travail sur soi, que je vous conseille d'entamer sans attendre, n'est rien en comparaison du bonheur qu'il vous procurera.

Encore un conseil : voici une petite phrase que je vous suggère de répéter tous les matins et tous les soirs devant votre miroir. Peu importe la tête que vous avez, ce visage que vous n'avez pas toujours envie de voir. Oubliez votre reflet, regardez-vous droit dans les yeux et dites en insistant sur chaque mot:

— Moi, (votre prénom), je m'aime comme je suis, tel(le) que je suis! Et je m'approuve entièrement dans tout ce que je dis et dans tout ce que je fais!

Avec une pratique assidue, je vous assure que ça marche. On finit par se trouver plutôt sympathique et pas si mal que ça!

Être bien dans sa peau, s'accepter avec tous ses défauts, est une aide supplémentaire pour fuir le stress. Peu importe ce que pensent les autres! Nous savons tous que l'on ne peut pas plaire à tout le monde. Être en accord avec soi-même, voilà le plus important.

Lorsqu'on est confronté à une épreuve, il est normal d'avoir envie de baisser les bras. Mais les problèmes font partie de notre apprentissage. Alors relevons la tête, chassons l'ombre pour devenir lumière! Affrontons la vie à bras-le-corps. Se bander les yeux ne résoudra rien. La politique de l'autruche n'a jamais fait avancer personne.

Heureusement, chacun de nous peut compter sur sa réserve de vitamines joyeuses. Usez-en sans modération. Notre seule responsabilité est de choisir notre chemin. Donnez-vous la chance de traverser le passage sur notre belle planète, pour en jouir, en grandissant chaque jour davantage. Au début, cela peut sembler difficile. La mise en route patine un peu!

Mais un proverbe dit: «Aide-toi, le ciel t'aidera.» Moi, j'aime à dire: «Aime-toi, ton corps t'aidera.»

À partir d'aujourd'hui, décidez de devenir une personne toute neuve. Un être qui fera partie de l'élite des « positifs ».

Il faut faire de sa vie une aventure. Aussi longue ou aussi courte soit-elle, elle mérite d'être vécue à 100 %. Vous vous devez bien ça. Être sur cette terre n'est-il pas déjà un cadeau du ciel ?

7

Assumer ses choix

Nous avons trop souvent tendance à ne pas assumer nos choix : c'est toujours la faute de l'autre, toujours le mauvais moment. Qui d'entre nous n'a jamais fait preuve de mauvaise foi devant ses échecs personnels ?

Dites-vous bien que l'erreur, la mauvaise décision, la bévue sont des étapes inévitables dans l'apprentissage de la vie. Inutile d'en éprouver de la honte ou de la culpabilité : ces sentiments ne nous projettent pas vers l'avant, mais, bien au contraire, nous tirent vers le bas.

Comment devenir apte à se comprendre soi-même ? À quoi bon se flageller parce que l'on n'a pas pris la bonne direction, la bonne décision ? L'erreur est humaine, nul n'échappe à cette fatalité. Oui, vous avez le droit de vous tromper.

Vos mauvais choix – ceux que vous considérez comme tels – peuvent être la conséquence d'un manque de confiance en vous, ou, au contraire, d'un excès de confiance. Dans les deux cas, la mauvaise décision qui en résulte vous inspirera des sentiments divers : du regret, une impression d'impuissance et d'échec, une sensation d'incapacité, d'inaptitude au futur, ou encore de l'angoisse, génératrice de crampes d'estomac et de maux de tête.

Cette violence dirigée contre nous-mêmes, nous la projetons bien souvent sur les autres, sans même en être conscients. Le refus de soi, la résolution de ne plus se regarder, le fait de détester sa propre image sont des vecteurs d'échec.

C'est là que commence notre travail : la recherche des causes.

Inutile de le nier, c'est parfois, en effet, la faute des autres ! Il arrive que nous traînions un lourd héritage depuis notre petite enfance. Ce peut être un parent qui, votre jeunesse durant, jour après jour, vous a seriné que vous étiez un incapable. Plus vicieuses encore, les comparaisons entre frères et sœurs : « Ton frère est bon élève, lui. Il n'a peur de rien ! » Sous-entendu : « Contrairement à toi. »

Être brimé ou sous-estimé par ses parents est d'autant plus toxique que l'on met souvent très long-temps à comprendre l'origine des angoisses et des hésitations liées à ce passif.

Discutant de ce sujet avec quelques amis, je me suis rendu compte que ces situations concernent bien plus de personnes qu'on ne le croit ordinairement. Ils me témoignaient, à plus de quarante ans, que les difficultés qu'ils avaient traversées s'enracinaient dans un passé lointain. Il ne s'agissait donc pas d'un échec personnel. Forts de ce constat, la vérité admise, leur vie avait changé de fond en comble.

Ainsi, la «programmation» volontaire ou involontaire d'une maman qui ne veut en aucun cas «perdre» son petit dernier agit sur celui-ci comme une sorte d'hypnose. L'enfant concerné, devenu grand, se rend compte que la «coupable» a tout mis en œuvre pour lui rogner les ailes et l'empêcher d'accéder à la liberté à laquelle chacun aspire légitimement.

Une vérité connue et assumée, plus ou moins bien acceptée, perd son impact négatif sur le cerveau. Un blocage, de même, dès lors qu'il est mis au jour et qu'on décide de l'affronter, perd toute sa force. Les pensées négatives qui nous paralysaient depuis des années changent subitement d'effet pour devenir des pensées positives.

Chacune des personnes que j'ai connues dans ces situations de blocage a malgré tout réussi sa vie, tant professionnelle que personnelle. Elles ont identifié la cause première, souvent familiale, de leur inhibition et ont décidé de se battre pour elles-mêmes. Je ne leur donne pas tort d'être plutôt heureuses de ce joli pied de nez à la vie.

J'aurai l'occasion de vous le redire : croire en soi et en ses possibilités est le meilleur des remèdes.

Pourtant, je n'ai pas toujours pensé et réagi ainsi. Moi aussi, j'ai eu des doutes. Dans les années 1970, je n'aimais pas mon profil. Cette petite bosse sur le nez me contrariait. Un petit coup de bistouri et hop ! à moi le beau nez bien droit. Dans mon entourage, certains m'encourageaient. D'autres trouvaient l'idée stupide. J'ai même eu envie d'arborer une poitrine plus volumineuse, vous savez, ces beaux gros seins bien ronds qui provoquent les sifflets admiratifs et les regards béats!

La notoriété n'implique pas que l'on se sente bien dans sa peau, bien au contraire. C'est un supplice de vivre constamment sous le regard des autres, d'être harcelée par des paparazzis qui guettent votre moindre faux pas, traquant jour et nuit vos faits et gestes, dissimulés derrière leurs énormes téléobjectifs, planqués dans les arbres et les buissons... Un ami d'enfance devient un «amant caché», une cigarette se transforme en «pétard», et vous voilà devenue une droguée... Un léger pli sur le ventre, un petit bourrelet sur la cuisse, et vous voilà transformée en matrone aux yeux de la France entière... Votre vie ne ressemble plus à votre vie, vous êtes métamorphosée en une espèce d'animal en fuite, avec une seule idée en tête : vous protéger coûte que coûte du chasseur de prime qui fera fortune en fixant sur pellicule la moindre de vos erreurs. Si j'ai fini, bien obligée, par m'accommoder de leur présence, je ne l'ai jamais vraiment acceptée.

Avec le temps, je me suis donc habituée à cette petite bosse sur le nez. Elle donne à mon visage un caractère bien particulier, qui n'appartient qu'à moi. Et je suis ravie de ne pas avoir alourdi ma poitrine avec des prothèses qui auraient changé ma morphologie et m'auraient encombrée.

La vie est bien faite : vous êtes ce que vous devez devenir. Il n'y a rien à changer, juste à transformer certains défauts en qualités. Nous traversons tous des périodes de doute et d'hésitation, qui nous font perdre du temps. Mettez-y fin maintenant. L'avenir est à vous!

L'aventure de votre vie ne dépend que de vous. Vous serez tout à la fois l'origine et le courage (car ce n'est pas facile tous les jours!), votre propre ennemi (les doutes qui vous assaillent) et votre propre héros (parce que vous irez au bout du chemin, rejoindre la paix avec votre âme). Vous ne serez pas seul, mais de plus en plus accompagné par la force de changement qui peu à peu prendra place en vous.

Il faut, pour obtenir un résultat, consentir un énorme investissement de soi-même et faire preuve d'une volonté sans faille. Mais je vous connais bien, vous aimez relever les défis! Celui-là est le vôtre. Je ne doute pas de votre succès.

8

Prendre sa vie en main

Dès la naissance, notre chemin individuel est plus ou moins tracé. En aucun cas il ne ressemblera à celui des autres. Suivrez-vous la voie la plus droite ? Allez-vous bifurquer, choisir une autoroute ou nous lancer dans un trekking au Tibet ?

Tout dépend du tempérament. À mesure que l'on grandit, il peut changer, s'affirmer, se polir ou se hérisser d'épines. Tout ce que la vie nous apprend, tout ce que l'on emmagasine, digère ou rejette, contribue à faire de nous un adulte autonome ou un suiveur soumis.

Certes, il y a des parcours de vie plus aisés que d'autres. Naître dans une famille aisée ne fera pas forcément de vous une personne privilégiée ; et l'inverse est tout aussi vrai. Car rien, jamais, n'est vraiment définitif. Tôt ou tard, nous devenons responsables de ce que nous sommes.

Dans mon cas, rien dans mes gènes, si je puis dire, ne me prédestinait à devenir chanteuse. De près comme de loin, il n'y avait aucun musicien dans ma famille. Mes grands-parents, mes parents étaient des commerçants. Et moi-même, j'ai commencé à travailler en aidant sur les marchés. Il fallait se lever à 4 heures du matin, mais je préférais encore ça à l'école, dont j'ai quitté les bancs dès l'âge de quatorze ans – non sans arrière-pensée puisque, l'après-midi, je courais écouter des copains qui faisaient de la musique. Sans bien m'en rendre compte, j'obéissais à l'écho intérieur qui allait m'aider à prendre la direction de ma vie.

Avec le recul, je sais aujourd'hui que la vie d'artiste, le cirque, la danse, le chant, c'est ce que j'ai toujours voulu faire, même toute petite. Lorsque j'étais enfant, m'a dit ma mère, je ne regardais pas les films, mais je dansais sur la musique, dans l'allée.

Cet écho intérieur, qui peut nous ouvrir le chemin le plus adéquat, chacun peut le percevoir à un moment ou à un autre. Qu'il s'agisse de prendre une décision, de sortir d'une impasse ou de tout autre chose, l'essentiel est de savoir l'entendre, de ne pas l'étouffer, de ne pas se disperser. Ce qui exige la volonté de prendre son temps, de s'arrêter, de se recentrer. Et, surtout, de se faire confiance.

Nous sommes les meilleurs décisionnaires de nos vies. Il est parfois crucial de fuir les jugements des autres. On peut les écouter, retenir des arguments positifs ou négatifs, mais l'important n'est pas ce qu'ils pensent. L'important, c'est de prendre conscience de ce qui nous rend heureux et de ce qui est bon pour nous.

En ce qui me concerne, à la fin des années 1970, j'ai choisi de prendre mon envol, de quitter ce que je croyais être ma zone de sécurité. Depuis mes seize ans, j'avais été un bon petit soldat, toujours désireuse de bien faire mon travail et d'être à la hauteur de ce que l'on attendait de moi. J'étais protégée par mes parents, surprotégée – du moins le croyais-je – par un producteur qui veillait sur ma carrière, s'occupait de mes enregistrements, programmait mes passages à la télé et à la radio. J'avais vendu des millions de disques, enregistré des titres qui sont encore des succès aujourd'hui.

J'aurais pu continuer sur cette voie et vivre sur mes acquis, encore bien solides. Mais je voulais aller plus loin. J'ai rompu avec une vie facile et j'ai choisi la liberté. J'avais envie d'affronter d'autres défis, de reprendre mon destin en main, de connaître de nouvelles sensations, de nouveaux sentiments, d'être enfin responsable de ma route. Que mon choix fût bon ou mauvais, j'étais prête à en assumer toutes les conséquences.

Les années 1970 furent pour moi libératrices. Nous étions en pleine vague du disco, à cent lieues de mes premiers succès. En entendant «Love Me Baby» pour la première fois, j'ai eu un gros coup de cœur. J'ai aussitôt voulu l'enregistrer en anglais, monter un groupe et faire de la scène.

La scène, mon rêve! J'en avais été empêchée pendant des années. Et j'en ai souffert. Quoi de plus valorisant et de plus important pour un chanteur ou une chanteuse que d'entrer directement en contact avec son public? Je le savais d'instinct, mais mon entourage artistique m'en avait toujours dissuadée. Je n'en évoquerai pas ici les raisons, mais j'en garde regrets et amertume.

Mes premiers pas sur scène, votre accueil extraordinaire m'ont permis d'effacer des années de frustration. Bien sûr, ma décision de briser mon image de chanteuse à couettes a déclenché nombre de réactions négatives, pour ne pas dire sarcastiques. Mais le succès a été au rendez-vous, et même bien au-delà de nos frontières, grâce à des titres comme « Spacer » ou « Singin' in the Rain ». J'ai fait des rencontres inespérées, travaillé avec des artistes internationaux, séjourné aux États-Unis. J'ai repris ma vie en main, recommencé mon apprentissage de zéro.

Mes bases avaient changé. J'avais eu besoin de retrouver mes émotions, qui s'étaient érodées avec le temps. Car que serait un artiste sans l'émotion ? Bien entendu, tout cela ne s'est pas fait d'un coup de baguette magique : je me suis battue comme une lionne pour arriver enfin à être moi-même.

Il est angoissant de ne pas savoir de quoi demain sera fait, mais il est très motivant de pouvoir diriger sa vie au feeling.

Vivre, c'est savoir prendre des risques. Ce qui ne signifie pas se comporter comme une tête brûlée ! Il s'agit simplement de donner corps à ses envies, à ses rêves, et d'en assumer la responsabilité.

Bien sûr, il arrive que l'on soit envahi par le doute. Pourtant, assumer un échec ou une victoire, après une décision mûrement pesée, est l'une des plus belles aventures qui puisse vous arriver. Pourquoi laisser aux autres le choix de tirer les ficelles ? Qui d'autre que vous-même connaît mieux vos sentiments cachés ?

Notre passage sur terre est unique. Il n'appartient qu'à nous de prendre les rênes de notre destinée. Quitte à commettre des erreurs : quelles qu'elles soient, ce seront autant d'expériences qui vous conduiront plus loin et vous feront grandir. Le plaisir de ne devoir qu'à soi-même sa réussite et son bonheur, si petits et si ténus soient-ils, est incomparable. Il a été pour moi, qui ai vécu étouffée pendant très longtemps, une joie sans égale.

Je choisis, je vis, donc je suis. Il est tellement extraordinaire de suivre son instinct ! Certains de mes proches n'ont pas voulu me suivre dans cette aventure. Trop risqué, pensaient-ils. Ce sentiment d'insécurité leur faisait peur. Ils préféraient la régularité de l'argent qui tombe tous les mois, au prix d'une sorte d'« emprisonnement ». C'est un choix. Je peux comprendre qu'il faille une certaine folie pour virer de bord d'un seul coup, lorsqu'on a un cap tout tracé. Par-dessus tout, il faut avoir des nerfs extrêmement solides.

N'allez d'ailleurs pas croire que je ne me sois pas fait peur ! Mais j'ai chanté ce que j'ai voulu. J'ai laissé libre cours à mes émotions. Et j'ai repris contact avec la jeunesse. On a trop tendance à séparer les anciens et les jeunes. Conflit de générations, dit-on. Pourtant, les jeunes peuvent maintenir les anciens en activité, tandis que les anciens apportent aux jeunes l'expérience qu'ils sont avides de s'approprier. Il ne faut en aucun cas séparer les générations car elles s'enrichissent, s'apprivoisent, s'aiment et construisent dans l'échange un monde destiné à durer.

Je considère qu'il est primordial de vivre avec des projets, réalisables ou non. C'est ce qui me permet d'avancer, de conserver un esprit jeune. Une tête qui travaille, voilà de quoi rester constamment en éveil. Se projeter vers l'avant oblige le cerveau à être en constant travail, à réfléchir, à calculer ; le tout, conjugué à un instinct qui ne demande qu'à se faire entendre, quelle meilleure façon de rester connecté avec les éléments ?

9

Oser prendre des risques

Il ne sert à rien de pleurer sur son sort, il faut avant tout avancer pour grandir et effacer les bleus de l'âme et du corps.

Chaque coup reçu peut vous clouer au sol. Mais si l'on s'en donne la possibilité, pourvu que l'on se retrousse les manches sans jamais croire que l'on est au bord du précipice, je sais par expérience que l'on peut tout reprendre en main et repartir dix fois plus fort.

À la fin des années 1970, je ne tenais pas en place. Sans cesse en déplacement, je voyageais énormément. Ma vie était ballottée entre deux avions, deux escales et des quantités de valises. J'évoluais dans un tourbillon.

Bien sûr, j'en ai profité. Cette existence trépidante m'a apporté de grandes joies. Elle m'a permis de faire des rencontres exceptionnelles et de recevoir beaucoup d'amour. Mais cette course folle, tel un cyclone, tournoyait autour d'un vide intérieur que, sur le moment, je n'ai pas su voir.

Je venais de vivre des événements moralement éprouvants. Je sortais d'un divorce difficile, et ce rythme de vie m'épuisait. J'ai fini par comprendre, après coup, que j'étais tout simplement dépressive et que je m'étourdissais d'activités pour me le cacher.

C'est mon instinct qui m'a poussée à réagir. Intuitivement, j'ai compris que, derrière Sheila, il me fallait retrouver Anny. Je l'avais reléguée au second plan, étouffée sous un nom de scène qui n'existait que dans la lumière. Tout d'un coup, rien ne m'a paru plus important, vital même, que d'être à l'écoute de mes envies et de mes sentiments. Et Dieu sait qu'il n'est pas toujours facile de se regarder en face!

Le bon sens populaire dit : « Après la pluie, le beau temps. » Il faut y croire : nul n'est à l'abri d'une bonne surprise après une période difficile. Un sourire, le soleil en plein hiver, ça existe! Et cela ne réclame souvent qu'un petit effort de notre part.

À cette époque pénible pour moi, j'ai mobilisé toutes mes forces. Et j'ai décidé de m'exiler à New York. J'avais envie de vivre pour moi-même, de me prouver que je pouvais continuer à progresser. Quel endroit plus propice pour cela que la « Grosse Pomme », ville d'énergie, ville des spectacles, qui me donnait la possibilité de vivre incognito, alors que mes chansons « Singin' in the Rain » et « Spacer » passaient régulièrement sur les radios?

Là-bas, personne ne me connaissait. J'avais donc la possibilité de travailler comme une débutante. Pas de jugements à l'emporte-pièce, pas d'a priori, pas de fausses rumeurs défrayant la chronique autour de Sheila. J'étais une jeune femme qui se remettait en question et décidait de combler les vides de sa vie et de son métier. Une femme libre, tout simplement, avide de mordre la vie à pleines dents, en oubliant sa gloire. Je voulais repasser par la case départ pour me sentir apte à la vie et fière de mon destin. J'avais besoin d'être et d'agir seule, sans avis, sans conseils, juste être moi-même, avec mes espérances et mes envies.

Bien sûr, je me suis fait peur. Bien sûr, j'ai connu des doutes, des angoisses sur mes possibilités. Je me suis posé beaucoup de questions. Et pourtant, rien ne m'aurait fait dévier de ma route.

Ces moments de grands changements, il est souvent nécessaire de les vivre loin de ses proches. D'abord parce qu'ils se sentent frustrés par votre envie de prendre de la distance. Ensuite parce que, malgré eux, leur affection vous freine. C'est déjà compliqué d'être en accord avec soi-même. Mais s'il faut, par-dessus le marché, être réceptif aux doutes de vos intimes...

Choisissez votre voie et n'en déviez pas. D'expérience, je sais que l'on en ressort grandi, plus encore si l'on réussit à mener son projet à bien. Quoi qu'il en soit, même si rien ne se passe comme on l'espérait, il y a toujours des leçons à tirer d'une expérience.

Après deux années à New York, j'ai réussi à retrouver qui j'étais. Anny était enfin libérée des spots et des paillettes.

Je vivais incognito. Pas de photos, pas de paparazzis. Je redécouvrais l'anonymat, le plaisir de faire librement mes courses. Il y avait longtemps que je n'étais plus entrée dans un supermarché. La première fois, j'en ai profité pour remplir à ras bord deux caddies. Les gens passaient à côté de moi dans l'indifférence la plus totale. Les jours suivants, je suis carrément devenue la reine de la marche à pied !

Que voulais-je ? Une remise à niveau, rien de plus. J'aurais mauvaise grâce à me plaindre de mon sort de chanteuse « populaire ». Encore que… sait-on jamais ce que le public admire chez son « idole » ? C'est tellement agréable de rencontrer des gens qui vous apprécient, non pour l'image que vous représentez, mais pour ce que vous êtes profondément. Qui vous trouvent jolie sans prendre en compte votre notoriété – laquelle, quoi que l'on en pense, change les regards et la façon de vous aborder.

Jamais un homme ne regardera une chanteuse ou une actrice de la même façon qu'une autre femme. Le plus souvent, il est amoureux du personnage public. La liste serait longue des motifs pour lesquels les hommes vous abordent ou veulent vous connaître, lorsque vous êtes célèbre. Vous croiserez le dragueur qui ne pense qu'à enrichir son carnet d'adresses, celui qui n'a d'yeux que pour votre compte en banque (le malheureux !), celui qui restera muet d'admiration toute la soirée, impressionné par votre popularité… Dans ces conditions, difficile de trouver ou de rencontrer la personne capable de vous faire voyager, de vous faire rire, d'être sincère avec vous.

Toujours est-il que ces deux années new-yorkaises m'ont permis de prendre le recul nécessaire sur ma propre vie. Mais je crois surtout qu'elles m'ont aidée à progresser, à aller chercher au fond de moi ce que je ne pensais pas posséder. Elles m'ont aussi permis de comprendre que mon niveau n'était peut-être pas aussi bon que je l'imaginais.

Car il faut savoir être lucide et prendre conscience de ses faiblesses. Les accepter n'est pas un handicap, bien au contraire! Les remises à niveau, les remises en question ne peuvent que vous faire grandir et vous aider à poursuivre l'aventure de votre vie en étant plus sûr de vous, puisque vous connaissez vos limites, vos qualités et vos défauts par vous-même, et non grâce à l'avis des autres.

10

Savoir rebondir

Rebondir, c'est savoir combler le vide qui s'empare de vous quand prend fin une période d'activité. Je pense au fait de cesser de travailler du jour au lendemain pour cause de départ en retraite – surtout quand on ne s'y est pas bien préparé – ou à l'arrêt d'une activité qui a demandé un gros investissement physique, intellectuel ou moral.

Même bien planifié, tout changement de vie peut être perturbant. Passé l'euphorie des premiers jours, quiconque se retrouve soudain inactif éprouve souvent un sentiment d'inutilité. Il n'est pas toujours simple de sauter le pas, d'accepter la fin d'un cycle dans lequel, bon an, mal an, on se sentait bien. La peur, le doute, les interrogations, l'incertitude face à un avenir incertain ne manquent pas de vous assaillir.

Pour passer outre, il faut du courage et de la volonté. De la patience aussi, car un temps d'adaptation est souvent nécessaire. Il faut se dire que, quoi qu'il arrive, la vie est ouverte devant soi. Non, il n'y a pas d'âge pour tenter une nouvelle aventure et se remettre en cause. Dans ces moments-là, je crois sincèrement qu'il faut chasser toutes les angoisses et garder confiance en son destin.

La fin d'une époque n'est pas la fin de la vie, mais tout simplement le début d'une autre, qui pourrait bien être tout aussi enrichissante que la première et venir combler des lacunes.

« Qu'est-ce que je vais bien pouvoir faire ? » Voilà ce que je me suis dit en 1989, après l'Olympia au cours duquel j'avais annoncé que j'arrêtais ma carrière.

Je me posais alors toutes sortes de questions. Avais-je eu raison de prendre cette décision ? Quel serait mon avenir ? Après tant de jours et d'efforts pour monter le spectacle, une fois ma série de galas terminée, je me suis sentie désemparée. D'autant que j'avais partagé avec mon public une intense émotion. J'étais venue lui dire que je m'en allais et il m'a chanté :

— On est venu te dire que l'on t'aimait !

Tant d'amour et de larmes partagés… Comprenez que c'était difficile de vous quitter ! Mon désert n'en était que plus grand. Du jour au lendemain, le téléphone a moins sonné. Jusqu'au jour où il n'a plus sonné du tout, ou presque. C'est dans ces moments que l'on compte ses vrais amis, ceux qui vous permettent de garder la tête hors de l'eau.

J'avais fait un choix difficile, mais ma nature active a vite repris le dessus. Pour tenir le coup, j'ai décidé de m'adonner à la sculpture. C'était un projet qui me taraudait depuis quelque temps. Un matin, encouragée par une amie, j'ai sauté le pas et, avec elle, je suis allée acheter la panoplie du parfait artiste débutant.

Pour commencer, j'ai voulu sculpter un bouddha – pas très ressemblant, je l'avoue. Ensuite, j'ai décidé de modeler une femme sortant de l'eau. Vous voyez que je ne manquais pas d'ambition! Sans doute un peu trop, mais qu'importe. J'appréciais ce contact avec la terre glaise, les mains qui travaillent dans un silence bienfaisant. À compter de ce jour, j'ai compris que toute idée, même bonne, a toutes les chances de rester stérile sans un minimum de savoir-faire technique pour lui donner vie.

Mon initiative n'aura pas été tout à fait vaine, puisqu'elle m'a permis de faire la rencontre de Nicole Buisson, une femme passionnante, auteure du livre *De la sculpture à l'Atlantide*[1]. Elle avait appris, comme disait le petit mot qui accompagnait l'ouvrage, que j'avais des «difficultés techniques» et se proposait de m'aider. Elle accepta de partager avec moi son savoir-faire et ses secrets d'artiste. Ma vie est ainsi faite: je tombe souvent sur des gens hors du commun. Je dois avouer que je les recherche et, un jour ou l'autre, ils surgissent dans ma vie.

Toute existence est semée de rencontres, plus ou moins longues ou passionnantes, mais rarement inutiles. Sans doute apprendrez-vous plus de celui qui sera un jour votre Judas que de celui qui vous suivra sans broncher, toujours prêt à vous approuver, dans le seul but de vous plaire. L'échange seul

---

1. N. Buisson, 1982.

est important. Tout le monde est susceptible de vous apporter ce petit rien qui restera et s'inscrira à jamais dans la trame de votre vie.

Bien entendu, il n'y a pas que des rencontres intéressantes. Ce n'est pas une raison pour se méfier *a priori*, mais il faut savoir rester vigilant.

Au tout début de ma carrière de chanteuse, je me souviens d'avoir consulté une voyante réputée. Après avoir étalé ses cartes, elle m'annonça que j'avais tort de me lancer dans la chanson, que je n'y connaîtrais jamais aucun succès et que, de toute évidence, j'étais faite pour la danse. Vous connaissez la suite... J'avoue pourtant que, ce soir-là, je me suis sentie déstabilisée. Après coup, j'ai compris qu'il y a des gens qui ont du talent et d'autres qui en ont moins.

Quant à la sculpture, elle n'est pas devenue le centre de ma vie. J'ai découvert l'écriture et, là encore, il m'a fallu tenir bon, m'affirmer, mobiliser mes forces pour y croire et me faire confiance. Rien n'était acquis, loin de là. Mais, vous le savez, je suis une battante !

11

L'épreuve du passage

Il y a des choses contre lesquelles on ne peut pas lutter. Je veux parler du départ de nos proches pour le «grand voyage», auquel nous devons tous nous préparer. Chaque disparition est un choc. Celui qui part est censé trouver la paix, mais il plonge ceux qui restent dans une douleur et un vide profonds.

La mort: je n'aime pas ce mot. Du reste, qui le prononce de gaieté de cœur? Je préfère parler du «passage». Aucun être humain ne pourra y échapper. Et pourtant, il nous appartient de surmonter la peur et le chagrin.

Ne croyez pas pour autant que je cherche à nier la fatalité. La sérénité ne s'acquiert pas à si bon marché!

Notre âme, le moment venu de quitter notre enveloppe corporelle, n'omettra pas d'emporter avec elle l'expérience accumulée dans cette vie. Les épreuves dont nous n'avons pas su triompher se représenteront à nous, jusqu'au prochain passage. Que le problème soit émotionnel ou matériel, le stress, notre ennemi public numéro un, nous envahira plus ou moins profondément, broyant dans son sillage tout désir de se battre.

Bien des fois, j'ai été confrontée à la disparition brutale et inattendue d'amis. Comment oublierais-je celle de Claude François? La veille du drame, nous étions ensemble en Suisse, pour une émission en direct. Nous venions d'assurer, chacun son tour, notre prestation, et nous nous accordions quelques instants de détente dans notre loge. Entre deux répétitions, nos discussions étaient toujours intenses. Nous manquions tellement de temps pour nous parler. La vie d'artiste et son rythme de folie! Fidèle à lui-même, Claude angoissait à l'idée des heures de voiture qui l'attendaient pour être à Paris le lendemain matin. Depuis des années, sa vie était une course contre la montre permanente. Je lui ai proposé de prendre notre avion, afin de lui épargner une fatigue inutile. Il ne s'est pas fait prier pour accepter!

Des bisous à la porte de l'avion, des remerciements, et par-dessus tout un rendez-vous pour un déjeuner confirmé pour la semaine suivante, rien que nous deux. La suite, vous la connaissez. Elle m'a laissée, comme tant d'entre vous, abasourdie, pleurant à chaudes larmes dans cette église d'Auteuil où je me sentais tellement seule.

Aujourd'hui, Claude me manque toujours autant.

Voilà pourquoi je pense qu'il est important de se donner du temps.

Personne n'est à l'abri d'un accident, quel qu'il soit. Inattention, manque de concentration, au mauvais endroit au mauvais moment… Nul ne décide de l'instant de son départ : il vous prend par surprise, et voilà comment on passe de l'autre côté.

À moins de devancer l'appel et de choisir son heure. Dalida, par exemple, avait médité son départ. Elle ne s'est pas donné la chance de croire qu'elle allait rencontrer l'âme sœur. Qui sommes-nous pour la juger ? Il n'en reste pas moins que la tristesse, le vide qu'elle nous a infligés resteront pour nous sans réponse de l'amie qui manque.

12

Deuil et trahison

Il existe différentes sortes de chocs émotionnels. Il y a le choc frontal et brutal, celui que vous ressentez lorsqu'on vous annonce une mauvaise nouvelle. Mais quand il s'accompagne d'un sentiment d'incompréhension et de révolte, on peut vraiment parler de double peine.

La douleur de la perte d'un être proche se double parfois de celle de n'avoir pu, volontairement ou non, l'assister dans ses derniers moments. Pourquoi n'a-t-on pas jugé bon de me prévenir à temps ? Une foule de questions cruelles se bousculent dans notre tête. On voudrait des réponses, que l'on n'aura jamais.

J'ai vécu cette situation et j'en garde une profonde blessure.

Lydia était mon amie d'enfance, presque ma jumelle. Nous avions grandi ensemble, étudié ensemble, chanté ensemble, bien avant la célébrité qui devait changer nos vies.

Les deux petites filles que nous étions fréquentaient la même école depuis l'enfance. Nous étions pour ainsi dire des sosies et ne nous privions pas de jouer et d'abuser de cette ressemblance qui étonnait tout le monde.

Née sous le signe des Poissons, Lydia suivait, pleine de joie, le petit Lion agité que j'étais. Nous avons partagé nos chambres, nos vêtements, nos vacances, nos grands-parents, nos parents, nos maisons, nos copains… Tout se mélangeait, comme dans une famille recomposée. C'était l'amour qui nous soudait. Surprenant, pensez-vous ? C'est que Lydia a été la sœur que je n'ai jamais eue. Nos parents étaient bien obligés de se rendre à l'évidence : tous nos projets de gamines se faisaient à deux. Pour les vacances, mes parents l'emmenaient à Lieusaint, en Seine-et-Marne. Nous n'avions qu'à traverser la forêt de Sénart à vélo pour aller déjeuner chez ses grands-parents ou profiter de dix jours supplémentaires chez sa grand-mère, qui habitait Combs-la-Ville.

À seize ans, du jour au lendemain, je suis devenue une chanteuse célèbre. Notre amitié n'en a pas souffert. Simplement, nos moments en tête à tête sont devenus plus rares. Fidèle et entière, Lydia est partie s'installer en Allemagne pour suivre son futur époux, emportant dans ses bagages une nouvelle idée : créer à Berlin une boutique Sheila, sur le modèle de celle que nous avions ouverte à Paris.

Puis les années ont passé à une vitesse folle. Nous ne nous voyions plus que par intermittence, toujours entre deux portes. Mais le fil ne fut jamais coupé. Ayant triomphé d'une longue maladie, Lydia rêvait d'avoir un enfant et continuait vaillamment sa vie.

Bientôt, je restai plusieurs mois sans nouvelles. Comme je la savais heureuse, je n'étais pas trop inquiète. Mais je m'interrogeais.

Un jour, lors d'une émission de radio, comme je faisais allusion à notre histoire, j'ai vu soudain l'attachée de presse qui m'accompagnait changer de visage. En sortant, elle a eu la délicate mission de m'informer que Lydia était morte quelques mois plus tôt et que sa maman, qu'elle avait eue au téléphone, me demandait de ne plus mentionner son nom ni son existence dans mes interviews. Le choc fut si violent qu'il m'a fallu un verre d'eau et une chaise pour ne pas m'écrouler. De retour chez moi, j'ai fouillé dans mes vidéos pour revisionner l'émission de Patrick Sabatier, «Avis de recherche», où elle était venue me faire une surprise.

Je n'ai jamais compris pourquoi sa famille, qui savait si bien l'affection que nous avions l'une pour l'autre, n'avait pas jugé bon de me prévenir. Personne, dans notre entourage d'enfance, ne pouvait ignorer ce que nous éprouvions l'une pour l'autre. Ce sentiment très fort, nos vies divergentes n'avaient pu le détruire. Jamais la notoriété, encore moins les kilomètres, n'avaient pu nous faire oublier ce que nous avions vécu, nos jeux et nos rêves de fillettes et d'adolescentes. Le rejet par sa famille de notre si belle histoire – bêtise ou jalousie, je ne sais –, la négation pure et simple de ce qui nous liait restent pour moi impardonnables, venant de personnes que je considérais comme des membres de ma famille.

Ce refus de prendre en considération nos deux vies a été pour moi un second choc. Je ne l'ai jamais accepté. C'était manquer de respect à mon amie. Je sais qu'elle aurait eu besoin de moi pour l'accompagner dans son dernier voyage. Elle aurait voulu que je l'aide et que je lui tienne la main. Mais cette chance ne nous a pas été donnée. On nous avait empêchées de partager un dernier bout de chemin.

J'aurais aimé, dans un moment de colère, vider mon sac et laisser libre cours à ma peine. Ces gens, au fond, n'avaient rien compris. Ils n'avaient respecté ni leur fille ni moi. Pourtant, j'ai préféré me taire. Je ne voulais pas ajouter au chagrin de cette maman qui a beaucoup souffert et qui, sans doute, n'a jamais mesuré ce qui me liait à sa fille.

Et puis le temps passe. On n'oublie jamais, mais on se rend compte qu'il faut parfois savoir garder sa colère pour soi. Car, si rien ne s'efface, on finit par pardonner. Cette maman aurait pu être la mienne – encore que la mienne savait combien j'aimais mon amie Lydia.

Aujourd'hui, tant d'années après, reste le regret. Quel dommage de n'avoir pas accepté et reconnu notre histoire… À travers chaque épreuve, on apprend, on grandit, on souffre. La douleur laisse des séquelles durables. Mais jamais nous ne repasserons par les épreuves que nous avons dû traverser une première fois.

Dans un autre ordre d'idées, il m'est arrivé aussi de connaître une «mise au point inattendue», qui m'a projetée dans une vérité que j'avais toujours refusé de regarder en face.

D'abord, il y a une aventure de vie invraisemblable, où deux destins hors du commun se trouvent un beau jour réunis par le ciel, dans un cinéma désaffecté, ouvrant la voie à une histoire professionnelle à nulle autre pareille entre un manager et sa jeune chanteuse. Ensuite, il y a vingt-cinq ans de bons et loyaux services, au cours desquels j'ai traversé une succession de hauts et de bas. Pour finir, il y a la trahison. Au plus profond de mon cœur, j'attendais les excuses ou le pardon salvateur qui aurait pu adoucir ma peine. Il n'est pas venu. Il faut croire que j'ai encore été la seule à croire au conte de fées.

Nous sommes tous différents. Certains pensent tenir le monde entre leurs mains et pouvoir se faire aimer à grands coups de liasses de billets. Je ne suis pas de leur clan, nous ne partagerons jamais les mêmes valeurs. Néanmoins, j'interdis à quiconque de s'immiscer dans une histoire qui ne lui appartient pas. Une histoire qui n'a jamais connu de point final, à mon grand regret. Car personne, ni les enfants ni les faux amis de mon ex-manager, ni ceux qui ont appris et grandi en nous accompagnant, n'a cru bon de me prévenir quand il est décédé. Je l'ai découvert, comme tout le monde, sur Internet. Un mur s'est écroulé sur moi.

Lorsque mon ancienne attachée de presse a fini par m'appeler, je connaissais déjà la nouvelle. J'en ai été blessée. Ce n'était pourtant pas difficile de me passer un coup de fil, de m'envoyer un message. C'était bien le moins après toutes ces années de travail en commun. Bien sûr, nous étions fâchés. Mais un quart de siècle, ce n'est pas rien! Nos années de collaboration ont compté, pour lui comme pour moi. Sans lui, je ne serais pas devenue Sheila; sans moi, il ne serait jamais devenu l'homme influent et riche qu'il a été. Nous avions grandi ensemble. Toujours, je lui ai fait une confiance totale. C'est auprès de Jacques Plait qu'il avait fait ses classes de manager : lui aussi a compté à nos débuts. Et jamais je ne songerai à nier le talent de l'ancien chanteur, auteur de l'adaptation française de «Jolie petite Sheila», la petite marchande de bonbons qui rêvait de devenir écuyère. Il savait choisir les chansons qui correspondaient à l'air du temps.

Disques, émissions de télé, articles de presse, produits dérivés... Peu à peu, son attaché-case est devenu de plus en plus lourd, de plus en plus gros. J'avais seize ans quand j'ai commencé à travailler avec lui. Il m'aidait à réaliser mon rêve. Grâce à lui, je vivais une sorte de conte de fées. Il gérait tout. Un peu plus tard, quand je lui demandais quelque chose, il me disait de lui faire confiance. N'étions-nous pas «une famille»? J'ai compris par la suite que nous n'avions pas la même conception de la famille. Je pensais qu'il me protégeait, alors qu'il jouait à l'apprenti sorcier. Les choses se sont détériorées lorsque j'ai commencé à ouvrir les yeux.

Mais j'ai déjà beaucoup parlé de tout cela, je ne veux pas y revenir. Simplement, après la disparition de mes parents, j'aurais aimé que nous puissions évoquer ensemble nos moments de rigolade, les épisodes de notre histoire – enfin, l'histoire de «Sheila».

Les gens qui n'ont pas de passé, qui rejettent le monde dont ils sont issus me surprendront toujours. De lui, je connais tout, comme il connaissait tout de moi. A-t-il eu peur de faire face à son passé. Craignait-il le fantôme de la 404 toute simple qu'il conduisait lorsque je l'ai rencontré? De son petit appartement de la rue Ballu – il n'avait pas encore de bureaux à cette époque – où Mme Rabret officiait, chiffon à la main, pour effacer les traces de ses nuits agitées? Tous ces souvenirs avec lesquels j'ai grandi, peu les connaissent. Moi, je les ai vécus. À quoi bon occulter les modestes débuts et les moments peu glorieux qui donnent du relief à une vie? Je considère qu'il est très important d'assumer son point de départ. Tout le monde n'est pas né Rothschild, avec une cuillère en argent dans la bouche, mais c'est justement ce qui rend la route passionnante!

Lorsque notre coopération a pris fin, mon ex-manager a choisi de ne plus me revoir. La «famille» qu'il évoquait si souvent n'avait jamais été qu'un miroir aux alouettes. La preuve en est que j'ai été la dernière à apprendre sa mort. Je dois donc me rendre à l'évidence: même si j'ai compté plus qu'une autre dans sa vie, j'étais tenue à l'écart de l'essentiel. Aurais-je dû me rendre à son enterrement?

13

Face à la maladie

Quand la maladie vous tombe dessus, on a beau vouloir être positif, accepter les paroles rassurantes de ses proches, la méthode Coué ne suffit pas toujours : on ne peut s'empêcher de se faire du mauvais sang. Dans ces moments-là, il faut savoir gérer ses émotions et faire la part des choses. Ainsi, il y aura toujours une bonne âme pour vous dire qu'elle a connu un cas similaire qui s'est terminé de telle ou telle façon. Premier conseil : ne prêtez pas trop attention aux expériences des uns et des autres. En ce domaine, chaque être humain réagit à sa façon, aussi bien moralement que physiquement.

J'ai tendance à penser que les grandes émotions se vivent dans l'intimité, en famille. Ma mère, par exemple, a toujours sacrifié sa vie pour mon père, malgré mes suppliques. « C'est lui d'abord, puis moi », disait-elle.

Je garde en moi ce souvenir douloureux, que j'ai déjà raconté mais qui continue de me hanter. C'est un jour d'hiver glacial, au marché de Maisons-Alfort. Il est 5 h 30 du matin. Maman, qui est allée récupérer quelque chose dans le camion, referme la portière sur l'ongle de son pouce. Choisissant d'ignorer la douleur, elle refuse de s'arrêter pour aller se faire soigner. Nous laisser tenir le stand tout seuls ? Jamais de la vie ! Dévouée et dure au mal, elle est fidèle à la devise Chancel : « Fais le travail, on s'occupera de ça plus tard. » On ne se plaint pas, on marche, on avance : telle a été mon école de vie. Et je ne vous cache pas que l'apprentissage a été rude !

En 1987, nous avons appris que mon père avait un cancer du rein. La nouvelle avait de quoi nous abattre. Mais mon père, lui aussi élevé à la dure, ayant passé sa jeunesse à tirer des charrettes de ferraille, n'a rien voulu laisser paraître. C'était un homme qui montrait peu ses sentiments, encore moins ses appréhensions. Fidèle à lui-même, il a décidé d'affronter le « crabe », comme il l'appelait, sans jamais baisser la tête. Chaque jour, il nous répétait :

— Ce n'est pas un truc à pinces qui va m'emmerder la vie !

Son entêtement, à force, devenait fatigant. Il a suivi sans rechigner le protocole médical et subi l'ablation de son organe malade. Je dois à cette opération l'une des plus fortes émotions de ma vie. Encore dans les vapes de l'anesthésie, sans même s'en rendre compte, il m'a exprimé tout son amour et sa fierté d'être mon papa. De toute mon existence, je ne l'aurai entendu que deux fois me dire qu'il m'aimait : la première, ce jour-là, à l'hôpital ; la seconde, en 1998, lorsque le président Jacques Chirac m'a remis la Légion d'honneur.

Choyé, dorloté, mon père s'est merveilleusement sorti de ce mauvais pas. En grande partie grâce à maman, qui de son côté faisait front vaillamment, sans faillir. Son homme avait besoin d'elle, donc elle était là. Ce n'était pourtant que le début des ennuis. Car ce maudit crabe ne s'avoue pas vaincu si facilement et, surtout, il ne part pas sans laisser de traces. La santé de mon père n'a cessé de se dégrader. Il est devenu diabétique et a dû se battre contre un autre crabe, et bientôt contre un lymphome.

Encore une fois, il a fallu tenir bon. Maman a fait face avec toute l'abnégation et tout l'amour dont elle était capable. Hélas, elle ne vivait plus qu'à travers la maladie de mon père! J'avais beau lui expliquer qu'elle devait prendre du temps pour elle, elle refusait de m'entendre. Je la voyais lutter comme un bon petit soldat, toujours dévouée, prête à affronter toutes les guerres pour son homme. Mais sa santé à elle se dégradait aussi. Elle toussait de plus en plus, son visage fatigué m'inquiétait. Je la suppliai:

— Maman, je t'en prie, occupe-toi un peu de ta santé! Fais-moi le plaisir d'aller voir un médecin. Tu ne soigneras pas mieux papa en t'oubliant. Au contraire…

Sa réponse était toujours la même:

— Je prendrai du temps pour moi lorsque ton père ira mieux!

Nous étions loin de nous douter qu'un «crabe» vicieux la rongeait déjà et qu'il aurait raison d'elle. Si bien que maman est partie avant papa. Par amour et dévouement pour son mari, elle avait refusé de prendre soin d'elle. C'est pour moi l'exemple type de ce qu'il ne faut pas faire. Aujourd'hui encore, je crois que maman serait peut-être toujours de ce monde si elle s'était arrêtée un instant pour prendre soin d'elle.

Le déni est mauvais conseiller. Il ne sert à rien de s'entêter à refuser l'évidence. Mieux vaut regarder les choses bien en face, même lorsqu'elles nous paraissent inacceptables.

Prendre soin de soi, physiquement et moralement, dans les périodes difficiles de la vie, n'a rien à voir avec de l'égoïsme. Et vous auriez tort de culpabiliser parce que vous vous êtes accordé un peu de répit. Au contraire : pour bien s'occuper des autres, il faut bien se porter soi-même. J'en suis intimement convaincue.

En agissant comme elle l'a fait, ma maman s'est dirigée toute seule vers une fin inévitable. Rongée par les angoisses et par la volonté acharnée de sauver son homme à tout prix, elle s'est créé son propre «crabe». À force de s'entêter, de ne jamais se confier, de rester emmurée, elle s'est rendue vulnérable. Le jour où, enfin, elle a accepté de se rendre à l'hôpital pour subir des examens, il était trop tard.

Le départ de maman a entraîné celui de mon père, quelques jours après. Il ne pouvait pas se résoudre à la disparition de sa femme et ne se sentait plus la force de lui survivre. Magnifique histoire d'amour, me direz-vous. Il n'en reste pas moins que cette conception de la vie à deux, toute de dévotion et d'abnégation, me paraît archaïque. Ce n'est pas une vision constructive.

Dans un couple, le bon équilibre repose sur un vrai partage. Chacun vient avec ses différences, qui constituent pour l'autre un enrichissement. Il n'est pas juste que l'un soit asservi, même volontairement. Maman n'avait pas le sentiment d'accomplir une corvée, loin s'en faut; elle faisait son devoir, c'était une marque d'amour. Papa aussi trouvait ça normal. Encore sous l'effet de l'anesthésie, il a trouvé les mots pour m'exprimer son amour paternel; mais il n'en a trouvé aucun pour sa femme. Question de génération? Possible. Mais on ne m'ôtera pas de l'idée que maman aurait mieux profité de la vie en acceptant d'être un tout petit peu plus égoïste.

On dit que les extrêmes s'attirent. C'est sans doute vrai. À condition que l'un ne vampirise pas l'autre. Couples ou amis proches, ce qui nous fait grandir, c'est d'apprendre des autres et de mieux nous connaître. Mais il faut savoir garder à l'esprit que le respect de soi-même commence par ne jamais s'oublier. S'aimer, se respecter, se soigner, se regarder, c'est ce qui peut donner aux autres la force de se battre pour ce que vous êtes et pour ce qu'ils aiment en vous.

Quoi qu'il en soit, le départ d'êtres que nous aimons laisse en nous une solitude irréparable. Il nous plonge dans un désarroi difficile à appréhender. Une mère, un père, un frère disparaît, et nos bases s'effondrent.

Les plus grands traumatismes sont souvent consécutifs à ces périodes difficiles de la vie. Tout nous semble vide, dénué d'intérêt. Nos épaules pèsent quinze tonnes. Le ciel nous tombe sur la tête. C'est ce qui m'est arrivé en 2002, après la disparition quasi simultanée de mes deux parents. Je mentirais en vous disant que j'étais vaillante. Je n'étais capable que de pleurer en cachette. Nos deux appels téléphoniques quotidiens me manquaient terriblement. Quelle souffrance que l'absence. Il m'est même arrivé de composer machinalement leur numéro, avant de me rendre compte que personne ne répondrait au bout du fil.

J'en voulais au ciel de m'avoir séparée de maman. Je n'étais pas prête. Je me sentais épuisée. Je suis donc allée voir le Dr Sallard, mon ami et maître[1]. Ma tristesse, mon sentiment de manque, empêchaient ma mère de monter où sa place l'attendait, m'expliqua-t-il. Maman restait accrochée à moi pour calmer ma tristesse et puisait dans mes énergies pour rester près de moi. Le Dr Sallard m'a conseillée de lui demander de partir à voix haute, de lui expliquer qu'elle aurait plus de force, au ciel, pour me protéger.

C'est ce que j'ai fait. Et l'état d'épuisement dans lequel j'étais plongée a pris fin comme par miracle. Depuis, nous sommes en contact. Je lui parle et je lui pose des questions qui, selon leur importance, trouvent parfois des réponses.

Aujourd'hui, j'essaie d'accompagner tous les départs dans la prière, avec un sourire au fond de mon cœur. Les êtres qui nous quittent sont malheureux de notre tristesse. Les âmes en partance ont besoin de monter sereinement là-haut.

---

1. *Cf. Chemins de lumière*, JC Lattès, 1993.

14

Le bonheur de vivre

Le temps qui passe estompe nos souvenirs, il les enfouit jusqu'à les anéantir. Nos parents, qui étaient notre mémoire vivante, disparaissent à leur tour. Quel vide on ressent devant de vieilles photos sur lesquelles des visages souriants demeurent obstinément anonymes! Où était-ce? En quelle année était-ce? Qui est cette personne au côté de ma grand-mère? Mais enfin, comment s'appelait le fils de la grand-tante Gisèle, la sœur de mon grand-père?

Il faut se rendre à l'évidence: une partie de nous s'envole dans les méandres des années enfuies. Il est d'abord difficile de l'accepter. On se sent vide, pauvre en sentiments. On se sent coupable de ne pas avoir noté, lorsqu'il en était encore temps, les noms, les lieux, les années. Mais maintenant, il est trop tard. Alors on ferme les albums photo, la larme à l'œil, et on les range au fond d'un placard.

En pareil cas, il y a deux possibilités. Soit on culpabilise, au risque de noircir encore un peu plus le tableau. Soit, après le laps de temps qui nous semble opportun, on rouvre les albums en souriant à ce qui fut une longue étape de vie, celle de notre enfance, en savourant ces moments de bonheur que l'on a eu la chance de vivre. L'amusant, avec un petit effort, c'est qu'en partant d'une photo, un détail caché dans notre cerveau peut faire resurgir notre vécu, réveillant des instants ou des situations.

Vous ne devez privilégier qu'une seule chose : la joie de vivre. Abordez comme une chance chaque journée qui s'offre à vous. Accueillez le soleil avec un sourire. Remerciez le ciel d'avoir la chance de jouir de la beauté du jour. Et accordez-vous une crise de rire de temps en temps. Comme disait mon père, un fou rire remplace un bon bifteck : vous allez en faire, des économies !

Nous ne pouvons pas vivre les uns sans les autres. Nous sommes sur cette terre pour apprendre à nous connaître, à nous donner la main. L'avenir n'oublie jamais personne. De gré ou de force, nous le vivrons ensemble. Les chefs d'État pourront continuer à fermer les frontières, à dresser des barbelés pour défendre leur territoire, rien n'y fera. Et qu'importe la race, la couleur ou la religion : les humains doivent apprendre à se connaître, à devenir tolérants et surtout à se comprendre.

Je me demande parfois si certains mots n'ont pas complètement disparu de notre vocabulaire. Qui sait aujourd'hui ce que signifie le mot « tolérance » ? Définition : « Attitude de quelqu'un qui admet chez les autres des manières de penser et de vivre différentes des siennes propres. » C'est peu dire que cette vertu n'est plus guère pratiquée. De nos jours, on ne supporte plus rien. On critique tout, un rien nous énerve. Untel a une voiture trop grosse, celui-ci conduit comme une limace, celle-là me regarde de travers, etc. Ces petits riens qui nous agacent, à force de s'accumuler, finissent par former de gros problèmes, qui nous deviennent insupportables. Au moins dix fois par jour, on ressemble à une cocotte-minute prête à exploser. Si j'étais à vos côtés, je vous dirais en souriant:

— Tu sais quoi? Respire!

Ce qui m'effraie le plus aujourd'hui, c'est l'irrespect. Nous avons perdu toute forme de considération et de courtoisie. Lorsque j'entre dans une boulangerie en lançant un «bonjour» tonitruant, les clients se retournent en me regardant d'un air stupéfait: «Mais qu'est-ce qui lui prend, à celle-là?» Je suis consciente de mener un combat d'arrière-garde, mais qu'importe: je ne suis pas là pour rester à la mode, mais pour livrer l'expérience d'une femme qui a une bonne partie de sa vie derrière elle. Ancienne combattante? J'assume!

Je fais partie de cette génération qui a prôné l'éducation de «l'enfant-roi», énorme erreur qui nous a doucement conduits aux catastrophes relationnelles que l'on observe aujourd'hui. À force de tout permettre, de tout passer, du «merci» oublié au «bonjour» qu'on avale, à force de gommer les interdits pour ne pas contrarier le bon développement de l'enfant, comment voulez-vous que celui-ci, devenu à son tour un parent, soit capable de redresser la barre, si l'on a omis de lui fournir de bonnes bases?

Ayons l'honnêteté de le reconnaître : nous sommes un peu responsables de cette situation. Et pourtant, j'ai reçu, enfant, une merveilleuse éducation. J'ai été la « grande sauterelle » de la maison. Les interdits, il y en avait, mais ils n'ont jamais entravé mon évolution ni mon épanouissement, bien au contraire.

Me revient le souvenir d'un après-midi en Auvergne. (J'entends d'ici mon père me dire : « Dans le Cantal, s'il te plaît. À Pleaux. Sois un peu précise ! ») Je devais avoir cinq ou six ans. La famille Chancel faisait les foins. Mon père, son cousin, la cousine et sa maman, fourche à la main, chargeaient à un rythme d'enfer la charrette tirée par des bœufs harnachés d'un énorme joug. En vous peignant la scène, j'ai l'impression de décrire une vieille carte postale en noir et blanc, douce image d'Épinal. Et pourtant, je vois encore le soleil au firmament, chauffant de ses rayons les blés coupés, remplissant nos poumons d'un doux parfum. La pollution était loin alors, on ne parlait pas encore des insecticides et des pesticides qui tuent la vie à petit feu. Avec Jacqueline, ma cousine germaine, mon aînée de quelques années, nous chassions les papillons multicolores, encore si nombreux à cette époque.

À la fin de cet après-midi joyeux et bien rempli, les hommes décidèrent de nous hisser au sommet de la magnifique montagne de foin qui débordait de la charrette de toutes parts. Les deux petites insouciantes que nous étions hurlaient de joie à chaque cahot sur les gros cailloux du sentier. Et puis patatras, la catastrophe ! Une énorme ornière, un roulis imprévu, ma cousine est éjectée sur le sol. L'image est restée à jamais gravée dans ma mémoire. Heureusement, plus de peur que de mal. Voilà pourtant l'exemple d'une journée que je ne pourrai jamais oublier. Car certains souvenirs sont plus tenaces que des photos. Les moments heureux, qui paraissent si futiles sur l'instant, se chargent de sens des décennies plus tard. Ils deviennent des trésors secrets, provoquant en nous des frissons de douceur qu'il nous faut chérir.

Mon père a toujours adoré faire enrager son entourage, à commencer par ma mère et moi. Un jour, pourtant, il a reçu la monnaie de sa pièce. Celui qui l'a rendu fou n'avait pas la parole, mais un entêtement à couper le souffle. Je veux parler de mon corbeau apprivoisé, Coco, qui avait pris la place du maître à la maison.

Dans un jardinet resplendissant, près de Lieusaint, mon père entretenait un potager. Salades, tomates, petits oignons blancs, quelques herbes aromatiques : c'était son grand plaisir. Un plantoir de chaque côté, il tenait la ficelle bien tendue. Pour rien au monde il n'aurait semé un plant de travers. Pousse après pousse, en marcel blanc et bermuda d'époque (un ancien pantalon parfaitement découpé par ma mère), moustaches au vent, il piquait avec rigueur et méthode, rêvant déjà du résultat. En particulier du moment où il récolterait les fraises qu'il aimait tant déguster recouvertes de chantilly et largement arrosées de sucre de canne…

C'était compter sans le plaisantin à plumes noires. À cinquante centimètres de lui, maître Coco s'ingéniait à tirer du sol chaque nouveau semis ! Inutile de vous dire que, cette année-là, nous avons acheté des fraises au marché... Que de crises de rire !

Certains après-midi ensoleillés, la famille Chancel s'asseyait sur le banc fraîchement repeint en vert par mon père. Le parasol Ricard offert par Émile, l'ami représentant de la marque, était planté au centre de la table. Maman sortait sa boîte de couture, mon père lisait son journal, je révisais mes devoirs de vacances, la tête ailleurs, guettant l'arrivée de l'oiseau. Il ne tardait jamais à arriver, atterrissant de préférence sur le panier à merveilles. Jouant à coups de bec, Coco tirait les fils de couleur à la recherche d'objets brillants. Un jour, il dénicha le dé et partit d'un coup d'ailes l'enfouir sous un tas de feuilles, avant de revenir s'attaquer à un autre objet brillant : la chaîne en or au cou de mon père !

— Il nous fatigue, cet oiseau ! J'en ai marre ! Je n'arrive même pas à lire tranquille, je vais le renvoyer au milieu des champs, avec ses congénères !

La bataille rangée entre le père et la fille reprenait de plus belle. Combien d'après-midi ai-je passé à lutter contre mon père, pour l'empêcher de renvoyer l'encombrant locataire !

Malgré les années, ces images sont restées fraîches dans ma mémoire. Elles n'ont pas pris une ride. Dans les périodes où l'on se sent mal, déprimé, il faut savoir retrouver ces moments heureux, souvent faits de souvenirs simples. Parfois, il faut creuser un peu au fond de soi pour se ressourcer. Cette force endormie, c'est du soleil en bouteille pour apaiser notre âme agitée, nous redonner l'énergie qui nous manque.

15

De l'empathie, oui, mais pas trop

Toutes les relations humaines sont enrichissantes. Toutes peuvent nous apporter la bienveillance, le soutien ou l'amour. À l'inverse, elles peuvent insidieusement nous emprisonner, nous malmener, nous tirer vers le bas.

J'ai rencontré tant de gens dans ma vie que trois tomes ne suffiraient pas à décortiquer les rapports plus ou moins étranges qui nous ont liés.

Je n'aime pas employer le mot «fans» – qui, ne l'oublions pas, signifie «fanatiques» – pour désigner ces personnes qui admirent et suivent la carrière d'un ou d'une artiste. Ce terme me paraît plus adapté pour désigner ceux dont l'amour démesuré pour une personne connue relève de la pathologie.

Les relations les plus riches, je les ai vécues avec des personnes qui m'ont suivie dès l'adolescence. Je les ai croisées quotidiennement, pendant des années. Elles patientaient durant des heures rue Jean-Goujon, puis rue de Surène, où se trouvait mon bureau. Elles attendaient pour m'apercevoir trente secondes à peine, juste le temps de m'engouffrer dans ma voiture. Pluie, neige ou vent, elles étaient fidèles au rendez-vous.

J'ai fini par connaître quelques-unes d'entre elles. À l'époque déjà, elles me faisaient part de leurs soucis, de problèmes relationnels avec leur famille, des cours qu'elles manquaient pour venir me voir…

Certains admirateurs peuvent vous suivre à la trace et être en demande permanente. Ce n'est pas toujours simple à gérer, d'autant qu'une forme de jalousie s'installe parfois entre eux. Si je parle un peu plus à celui-ci, si j'ai un mot ou un clin d'œil gentil pour celle-là, je sens bien que les autres m'en voudront.

Heureusement, nous échangeons la plupart du temps des propos sympathiques. Un dialogue s'instaure, même si je reconnais que c'est souvent à sens unique. Ils me disent leur admiration ou me parlent de l'importance que j'ai dans leur existence. Mais rassurez-vous, je sais aussi écouter !

J'ai quand même connu des cas extrêmes. Certains, plus opiniâtres, se postaient carrément devant chez moi, sans doute pour combler une forme de mal-être que j'étais incapable d'identifier. Le plus souvent, je connaissais leur histoire, ou du moins ce qu'ils m'en avaient dévoilé par bribes. Je les retrouvais régulièrement devant la maison, appareil photo à la main. Malgré mes demandes insistantes, ils continuaient de me photographier avec mon fils, encore petit, dès qu'ils nous croisaient quelque part. J'ai dû me mettre en colère plusieurs fois. Rien n'y faisait. Ils guettaient son retour de l'école avec Marie-Claire, la nounou. Il m'est arrivé de prendre quelques-uns de ces fans en voiture pour les rapprocher de chez eux. Par la suite, ils sont devenus bien plus raisonnables.

Les années passant, j'ai noué des liens, sympathisé avec certains que je sentais particulièrement fragiles. Inconsciemment, j'ai accepté qu'ils viennent combler chez moi le manque affectif dont eux-mêmes semblaient souffrir. Certains ont même fini par venir travailler avec moi pour leur plaisir – et pour le mien, pensais-je. Il y a ceux qui restaient de plus en plus tard, oubliant leurs horaires pour demeurer dans mon sillage et prenant de plus en plus de place auprès de mon entourage, sans que je comprenne le but de la manœuvre. Ils m'accompagnaient aux rendez-vous, à la télé... À leur décharge, ils étaient toujours disponibles ; mais ils supportaient mal que j'en invite d'autres dans ma loge. Auquel cas ils se fermaient comme des huîtres et devenaient muets comme des tombes. De plus en plus possessifs, certains s'arrangeaient pour repousser tous ceux qui auraient pu m'approcher de trop près.

Ces petites mésaventures m'ont poussée à m'interroger. Je pensais venir en aide à ces personnes que j'avais vues grandir en instaurant une relation amicale et complice, en leur faisant partager des temps professionnels et parfois des moments plus intimes. Hélas, j'ai pu constater qu'elles s'attribuaient une place despotique et qu'un climat malsain s'installait entre elles et moi.

Le fait d'être connue est à double tranchant et peut créer bien des quiproquos. Sheila ou pas, je suis restée la même : quand je décide de faire confiance à quelqu'un et de lui ouvrir la porte de ma vie, j'attends un rapport franc, simple, direct et sain. Mais c'est compter sans une forme d'idolâtrie qui vient fausser les données d'une relation insincère. Je l'ai appris à mes dépens et, si je reste ouverte et attentive à l'autre, j'ai compris que je devais me protéger. Mais les leçons ont parfois été rudes.

J'ai notamment en mémoire une jeune fille dont la mère, désespérée, m'avait appelée à l'aide. Nathalie ne jurait que par Sheila et se désintéressait de tout le reste. J'ai pris ce cas très au sérieux, cherchant d'abord à la raccrocher à ses études. Mais mes coups de fil pour la conseiller restèrent sans résultat. Nathalie ne rêvait que d'une chose : travailler dans mon équipe. De guerre lasse, j'ai fini par demander à Colette, la responsable du courrier du Club Sheila, de la prendre avec elle. Comme nous nous voyions tous les jours, nos brefs échanges la comblaient de joie.

Cela dura quelques années. Fidèle au poste, très fière de sa position, Nathalie semblait savourer son bonheur. Mais, à la maison, c'était une autre chanson. De temps à autre, sa maman m'appelait pour m'avertir que Nathalie ne mangeait plus. Sa meilleure amie, Michelle, s'inquiétait aussi et faisait régulièrement le point avec moi. Je m'étais sincèrement prise d'amitié pour Nathalie, devenue une jeune femme, et j'aurais voulu la voir changer, l'envisager heureuse en dehors de moi.

Après des années d'acharnement, j'ai dû me rendre à l'évidence : Nathalie souffrait de troubles psychologiques qui me dépassaient. Comme une plante qui ne peut se tenir droite sans tuteur, elle ne pouvait plus se passer de moi. Si je partais à l'étranger, elle ne supportait pas mon absence. À mon retour, je la trouvais amaigrie, triste et déprimée. Sa mère se rongeait d'inquiétude. Pour la soulager, j'ai accueilli Nathalie en vacances, puis quelque temps à la maison, le temps qu'elle reprenne du poids. Je voulais la remettre debout! J'ai tenté de lui insuffler la joie de vivre et de lui faire retrouver l'appétit. En ma présence, tout allait bien et j'étais heureuse de la voir manger. Cependant, elle ne prenait pas un gramme et nous étions tous très inquiets.

La vérité ne tarda pas à se montrer dans toute sa laideur lorsque je découvris une collection de bouteilles d'huile vides derrière son lit : elle s'en servait comme laxatif. Elle mangeait et se faisait systématiquement vomir. J'avais sous-estimé la gravité du problème et devais de toute urgence passer le relais à des professionnels. Leur diagnostic fut clair et sans appel : un séjour en clinique s'imposait. C'était la condition *sine qua non* pour ne pas mettre fin à notre relation. Nathalie accepta en ronchonnant, et tout le monde se sentit momentanément soulagé de cette décision.

Hélas, ce fut un nouvel échec. Deux jours plus tard, elle signait une décharge pour regagner son appartement. Bien entendu, je fus immédiatement avertie et appelée au secours. Je me sentais démunie. Dans mon désir de la protéger, j'avais minimisé l'ampleur de sa maladie. J'étais en train de me faire aspirer par une forme de folie destructrice à laquelle je ne trouvais pas d'issue. Seule la médecine pouvait l'aider. Nathalie dépérissait à vue d'œil et en jouait pour me faire fléchir, mais je ne pouvais me laisser instrumentaliser davantage. Mes engagements professionnels avaient repris le dessus et la préparation d'un Olympia monopolisait mon temps et mon énergie. Je suis restée ferme dans ma décision de mettre de la distance tant qu'elle n'accepterait pas une prise en charge médicale susceptible de l'aider véritablement. Mais je continuai à prendre de ses nouvelles. Jusqu'au jour où j'ai été prévenue qu'elle avait mis fin à ses jours en se défenestrant.

Quand j'y repense aujourd'hui, mon sang se glace. J'ai conservé de ce drame un arrière-goût d'impuissance et d'amertume, mêlé à un sentiment de culpabilité. Tendre la main est un devoir, mais il ne faut pas présumer de ses forces.

16

Ne pas présumer de ses forces

Il est des moments où il faut savoir connaître ses limites et prendre du recul, si l'on ne veut pas rester captif de situations inextricables. Surtout lorsqu'on ne peut rien y faire.

Sonia m'aurait suivie au bout du monde. Elle déployait toute une panoplie d'arguments pour me prouver l'aide indispensable qu'elle pouvait m'apporter. Il était impossible que je puisse me passer de sa présence. Elle avait réussi à se rendre utile pour mieux gagner du terrain dans mon existence et contrôler mon périmètre vital. C'est moi qui l'avais laissée entrer dans ma vie, dans ma maison. Mais, au lieu de partager avec moi une relation saine, Sonia m'épiait, me surveillait, incapable de dépasser le stade du fanatisme.

Une séance de photos, le temps d'un week-end dans le Sud-Ouest, devait m'ouvrir les yeux. Sonia avait insisté pour m'accompagner, avec une exagération dérangeante. Devant mon refus, elle se comportait comme un enfant qui ne supporte pas la frustration – alors qu'elle avait déjà une quarantaine d'années. Je suis restée ferme et je suis partie sans elle.

Le samedi matin, j'étais prête. La séance se déroulait gaiement, la journée s'annonçait parfaite. Mais le téléphone du photographe, un copain de longue date, sonnait régulièrement. Les appels se faisaient de plus en plus rapprochés : pas l'idéal pour une séance de travail qui exige de la concentration.

À ma demande, il finit par décrocher, plutôt excédé. Sa façon de parler et son air gêné attisèrent ma curiosité. Mais il éluda, prétextant un appel personnel. Sans y croire vraiment, je repris la séance. À peine vingt minutes plus tard, nouvelle sonnerie insistante. Je commençais à perdre patience. Pour la première fois, mon ami haussa le ton.

Je finis par découvrir le pot aux roses : depuis notre prise de rendez-vous, Sonia le harcelait jour et nuit. Elle appelait pour connaître les détails du planning, soulignant le fait que sa présence était indispensable, qu'il avait besoin d'une assistante pour porter ses appareils.

Les photos terminées, nous étions en visionnage dans le salon lorsque le téléphone sonna de nouveau avec insistance. N'y tenant plus, j'ai décroché moi-même pour expliquer ma façon de penser à Sonia. Ainsi, même absente, elle restait présente par ses incessants coups de fil.

Le lundi, de retour à Paris, nous eûmes une explication houleuse. Au cours des semaines suivantes, impossible de faire un pas dehors sans la trouver sur mon chemin. Elle me suivait partout, cherchant à renouer avec moi et n'obtenant qu'un surcroît de méfiance. Si j'avais un rendez-vous, elle s'y trouvait avant moi. En sortant, je la trouvais qui m'attendait devant ma voiture. Je ne pouvais plus me rendre chez le coiffeur, à un déjeuner, ni même en courses, sans qu'elle me suive et parfois me devance. Elle harcelait mon entourage pour qu'il fasse pression sur moi. La situation, elle, devenait invivable.

Lorsque j'ai été cruellement déçue, que je suis triste ou choquée, même les suppliques ne peuvent me faire changer d'avis. Encore moins un chantage au suicide et quelques cachets avalés à la hâte, aussitôt régurgités (en quantité trop réduite pour justifier l'hospitalisation).

Je me sentais comme un objet entre les mains de Sonia, une chose que l'on possède, que l'on veut pour soi. Elle avait envahi mon espace et ma vie, sans que je réalise qu'elle était devenue dépendante de moi comme on le serait d'une boisson ou d'une substance illicite. Quand bien même cette dépendance révélait une solitude et une angoisse profondes, je n'avais pas le droit, une nouvelle fois, de me laisser piéger par un chantage aux sentiments. Il est des situations où l'on doit s'affranchir du sentiment de culpabilité.

Sonia a continué de me poursuivre quelque temps, puis nos routes se sont séparées. Blessée et déçue, j'étais résolue à ne plus jamais travailler avec une «admiratrice de la chanteuse». Je m'y suis tenue.

Nous apprenons tous de nos erreurs. Chaque histoire, si triste soit-elle, nous fait grandir. On ne peut réparer toutes les peines du monde et l'on peut être son meilleur ennemi.

«Aide-toi, le ciel t'aidera», dit-on. Tant de personnes qui geignent, se plaignent et râlent lorsqu'il fait trop chaud, qui rouspètent lorsqu'il gèle et ne vous parlent que de leurs maux, de leurs bobos. Leur conversation est un monologue, une suite de plaintes égoïstes, destinées à vous apitoyer, mais qui n'ont pour effet que de vous faire fuir.

Il n'est pas interdit de tendre la main aux personnes que l'on aime. Mais chacun doit faire son travail, affronter ses peurs et les vaincre. «L'autre» n'est pas une colonne vertébrale de rechange. On ne peut vivre épanoui dans une dépendance affective excessive. On ne peut se laisser porter éternellement, au risque d'épuiser la personne qui vous soutient.

Il importe en premier lieu de trouver ou de retrouver l'estime et la confiance en soi. Commençons par faire la paix avec nous-mêmes. Se retrouver seul, face à soi-même, est souvent une étape nécessaire, d'où peuvent découler larmes et épreuves, mais qui doit nous permettre de nous redresser. Acceptez vos erreurs, regardez calmement ce que vous êtes et où cela vous mène. La bonne humeur, les sourires et une bonne dose d'humour sont des clés indispensables au mieux-être. En affrontant la vérité, si difficile soit-elle à accepter, on guérit son corps et son esprit. En riant de soi-même, en s'amusant de sa propre bêtise, on devient plus léger.

Pour être heureux à deux, il faut d'abord être heureux soi-même. Mais, puisque l'union fait la force et que l'intérêt de la vie est fonction de l'interaction entre les êtres, on peut faire appel à des personnes dont c'est le métier. Selon leur spécialité, elles nous aideront à trouver l'harmonie.

J'ai moi-même fait appel à des personnes qui m'ont ouvert d'autres horizons, m'ont offert une meilleure connaissance de moi-même et permis un meilleur échange avec les autres. Ce chemin appartient à chacun de nous, personne ne peut le faire à notre place. Si nous ne décidons pas de nous mettre en route, nous ne pourrons pas avancer pour rejoindre les autres.

Regardons-nous sur le grand échiquier de la vie. Nous pouvons choisir d'être un pion, un cavalier, une tour, la reine ou le roi. J'aime beaucoup le cavalier : il traverse la campagne, apporte toutes sortes de nouvelles et défend l'opprimé en chantant des romances à sa belle (ou à son beau!). Hélas, nous ne sommes plus au Moyen Âge...! Au début de notre existence, nous sommes tous des pions. En fonction de notre évolution personnelle, nous choisissons notre chemin et nos déplacements. Mais privilégier sa vie ne signifie pas qu'il faut devenir roi coûte que coûte!

Les vibrations de la voix, voilà peut-être ce qui nous rapproche tant.

Sans que je le veuille, cette voix, que je trouve encore aujourd'hui si aiguë, martelant avec joie et insouciance la jeunesse d'une époque pas si lointaine, nous a unis pour l'éternité, sans même que nous le demandions.

Avec amour pour certains, dans la haine pour d'autres, nos vies se sont liées au-delà du temps.

Cette situation m'a dépassée. Ne cherchant plus aucune explication, je chante. Les vibrations des sons joignent nos cœurs.

Pourtant, l'écriture nous apprend à mieux faire connaissance. Je ferai toujours le maximum, jusqu'au bout de ma route, pour vous aider à être des humains heureux, qui ne soient pas angoissés par le temps qui passe, des personnes droites et solides.

Je ne suis pas toujours directive. Bien souvent, mon instinct me guide. Je ne discute même pas, je l'écoute et le suis ! Je pourrais perdre du temps à trouver des réponses à mes questions. Je préfère vous persuader d'essayer, juste « pour le fun ». Car la vie doit rester amusante. Alors jouez avec vous-même ! Vous serez certain de ne contrarier personne – et tout le monde autour de nous voudra jouer avec vous.

Mieux on est dans sa peau, plus notre énergie est communicative. Le bonheur est un piège dans lequel tout le monde rêve de tomber.

17

Lettre à la petite Anny

Je veux ici m'adresser à la petite Anny – avec un Y, s'il vous plaît ! – que j'ai été. La petite Anny devenue très vite, presque trop vite, « la jolie petite Sheila ». Il n'est pas commun de s'écrire à soi-même. C'est même plutôt étrange ! Qui sait, peut-être devrait-on plus souvent s'adresser à l'enfant qui continue de vivre en nous ? Embringués dans les problèmes du quotidien, les adultes que nous sommes ont trop tendance à l'oublier. Dommage ! On gagne toujours à retrouver, même un instant, son âme d'enfant, à renouer avec les rêves et les aspirations de l'âge tendre. À faire revivre, aussi, l'enfant qui sommeille en nous, pour le consoler des moments malheureux qu'il a pu vivre ou, au contraire, pour se rappeler avec lui les moments de bonheur, emmagasinés comme autant de trésors qui nous aident à avancer. En résumé, se souvenir de son enfance peut être une bonne thérapie. À condition de ne pas sombrer dans la nostalgie !

J'aurai plaisir à évoquer cette charmante petite gamine, fille unique de parents aimants – même

si, chez elle, on ne disait pas souvent «je t'aime».
C'était un fait acquis, on n'avait pas besoin des mots.
On s'aimait, c'est tout.

Mais il est temps de commencer ma lettre…

Chère Anny,

Tu avais des rêves plein la tête, rien n'était impossible à tes yeux. Tu souriais à la vie sans jamais te plaindre. Tu n'imaginais pas alors à quel point ton existence allait basculer. Tu ne pouvais pas deviner les montagnes russes de ta vie future, pleine de hauts et de bas. Tu ne savais pas encore que, dans les contes de fées, il y a aussi de méchantes sorcières qui vous jettent de mauvais sorts et vous réservent un tas d'épreuves.

Même quand tu rêvais de lumière, comme toutes les petites filles, jamais tu n'aurais imaginé la vie extraordinaire qui t'attendait. Comment croire que tu serais propulsée au sommet du jour au lendemain, qu'il y aurait tant d'amour échangé avec un public toujours fidèle? Et comment concevoir les coups bas, quand on a été comme toi élevée dans des valeurs de confiance, d'honnêteté, de respect des autres? Mais tu as aussi reçu en héritage le courage, la volonté de faire face, quoi qu'il arrive. On ne craque pas, on assume, on avance!

Cette vie que tu as voulue, rien ne t'y prédestinait. Pas de parents musiciens, pas d'appuis particuliers. Petite, tu as toujours vu travailler tes parents. Ton père, après avoir été tueur aux Halles, est devenu boucher: logique. Comme il rentrait tard, tu le voyais peu, mais il te donnait tout de même des preuves d'attention, ne serait-ce qu'en rapportant un bon morceau de viande pour que tu pousses plus vite.

Plus grande, tu passais tes jeudis et tes vacances chez ta grand-mère, qui faisait les marchés. Dans la remise envahie de bonbons, tu pesais sur une balance les petits œufs à la liqueur pour Pâques ou les chocolats fourrés pour Noël. Je revois ta frimousse aux cheveux permanentés qui plaisait tant à ta maman. Par temps de pluie, tu avais l'air d'un caniche!

Après avoir longtemps tenu la caisse de la boucherie Chancel, jusqu'au jour de sa fermeture, ta maman s'est vue contrainte de partir tous les matins, à l'aube, pour donner un coup de main sur les marchés à ses propres parents. Tes parents étant absents toute la journée, tu t'es retrouvée, par la force des choses, gardée par la concierge, Mme Soubieux. Tous les midis, rentrant à pied de l'école de la rue de Patay, tu n'avais pas le temps de faire du lèche-vitrine en chemin. Tu adorais rester assise dans la loge pour regarder, à travers les petits rideaux de la porte vitrée, les entrées et sorties des locataires. Tu vérifiais leur casier pour leur donner, par l'entrebâillement de la porte, le prospectus ou la lettre tout juste arrivée.

Les déjeuners chez les Soubieux étaient à heure fixe, ce qui te surprenait beaucoup. À l'époque, tu les trouvais vieux et démodés. Tu les aimais beaucoup, même si tu n'as jamais autant mangé de sardines à l'huile de toute ton existence! Mais leur vie te paraissait si ennuyeuse... Chez eux, tout était réglementé. Aucune fantaisie, aucun brin de folie n'avait sa place dans cette loge. Le soir, tu répétais à ta mère:

— Ils sont vieux, maman! J'te jure, ils sont incroyablement vieux!

Ils avaient quarante ans, un âge canonique, et formaient une famille charmante et accueillante. Il est vrai que tu as mangé beaucoup de sardines, mais je sais que tu as toujours respecté et aimé cette famille avec laquelle tu as partagé des instants de vie.

Pourquoi M. et Mme Soubieux te paraissaient-ils si vieux, plus «dans le coup», comme disait ta chanson? Avec le recul, je pense que tu as voulu leur trouver un défaut, n'importe lequel, pour pouvoir dire à tes parents ce message qu'ils n'ont pas compris: «Papa, maman! Je ne vous vois pas assez. J'aimerais être avec vous plus souvent. Vous me manquez! Je ne veux plus vous attendre au rez-de-chaussée.»

Plus de cinquante-cinq ans plus tard, laisse-moi te dire, petite Anny, qu'être vieux ne signifie rien. Il est bien naturel qu'une enfant de ton âge ait été rebutée par leur rythme de vie. Peut-être étaient-ils inquiets, contrariés par des soucis dont on ne parle pas aux petits? L'égoïsme, l'insouciance des gamins rendent parfois les adultes impatients et injustes…

Petite Anny, comme toutes les fillettes de ton âge, tu rêvais de grandir pour pouvoir enfin faire comme bon te semblait. Maquillage, jeans, pantalons, cette panoplie aujourd'hui ordinaire n'était alors qu'un rêve. Tu étais de ton temps, tu étais impatiente. À ton époque, il fallait attendre d'avoir vingt et un ans, âge légal de la majorité, pour s'émanciper.

Lorsqu'on est petit, on est pressé d'être grand. Puis on comprend combien le temps est précieux – quoiqu'il n'ait de prise que sur celui qui le veut bien. quoi de plus naturel que l'envie de liberté?

Aujourd'hui, les enfants l'obtiennent si facilement que ce sont les adultes qui doivent se battre pour la conserver ! La liberté n'a pas grand-chose à voir avec le temps qui passe. Elle est dans la tête.

Certains gamins sont vieux très tôt ; ils ne rêvent pas, ils sont frileux et n'attendent rien que de prévisible de la vie. Ils veulent recopier le modèle de leurs parents. Or l'aventure de la vie s'écrit dès l'enfance. Parsemée de rêves, elle sera un champ de blé. L'enfant devra y cueillir les derniers coquelicots, hélas de plus en plus rares. Préserver la planète : voilà déjà une mission, et pas des moindres !

Petite Anny, l'âge, que tu jugeais avec arrogance, peut devenir un atout si tu apprends à l'employer à bon escient. Le mot « expérience » correspond mieux à ce que tu voulais dire : faire de ta vie, avec le temps, un dictionnaire personnel que tu ouvriras dès que tu en sentiras le besoin.

Ne te défais jamais de cette insouciance qui te donne envie de faire bouger le monde. C'est la force de la jeunesse. Si tu la gardes bien enfouie au fond de toi, tu ne la perdras jamais. Il faut croire en son étoile, croire que rien n'est impossible.

L'âge n'a rien à voir avec les rêves. Tenter de les réaliser te rajeunira jour après jour et te tiendra éloignée de la retraite, ce glas. Il te faudra sourire des erreurs que tu risques de commettre. C'est la vie !

Garde ton âme d'enfant, Anny. Sois douce et généreuse. Souris à ta vie, afin que ses ondes positives te suivent à travers les années.

Ta grand-mère, qui est toujours restée jeune à tes yeux, était pourtant très âgée quand elle a quitté cette terre. Elle n'a jamais renoncé, elle t'a toujours protégée.

Te rappelles-tu ce jour où elle t'a emmenée à une fête costumée ? Tu étais habillée en tutu. En représentation, comme d'habitude ! Étonnée de voir une si petite fille danser avec tant d'assurance devant cette assemblée, une dame s'est approchée de ta grand-mère et lui a dit, ou plutôt prédit :

— Votre petite-fille deviendra très célèbre un jour. Je vois son nom briller. Rappelez-vous mes paroles !

À l'époque, ta grand-mère te voyait plutôt mannequin et t'encourageait à t'entraîner. Je te revois, dans le couloir de son pavillon de Créteil, des Bottin sur le crâne, marchant en vacillant pour ne pas les faire tomber.

— C'est bon pour le port de tête ! disait-elle.

Que d'heures passées à fouiller des malles remplies de merveilles – robes, chaussures, chapeaux – dans un petit coin mansardé de son grenier, véritable nid à poussière... Toute une panoplie, pour une petite fille qui rêvait d'être sur le devant de la scène ! Toi, tu te voyais bien danseuse ou écuyère.

À quatorze ans, tu as voulu quitter l'école. Tu es partie faire les marchés avec tes parents. Pas facile de se lever tous les jours à 4 heures du matin. Pas facile non plus de vendre des brioches à des clients qui n'ont pas l'air de vouloir en manger ! Quand on n'a qu'une matinée pour faire la recette d'une journée, il faut savoir haranguer, parler aux gens en y mettant du cœur et de la conviction. En ce sens, les marchés ont été pour toi une bonne école. Tu ne baissais pas les bras. Tu t'accrochais, ça marchait ! Tu étais joyeuse, tu chantais sans cesse, à tel point que les commerçants t'avaient surnommée… « la radio » !

En grandissant, tu as dû renoncer à tes rêves de danseuse. Tu n'avais pas le physique. Jamais tu n'aurais pu en faire ton métier. Heureusement, tu avais une autre passion : la musique. L'après-midi, tu rejoignais des copains musiciens. Puis il y a eu cette audition. Avec une telle envie de réussir, tu ne pouvais pas échouer.

Tout s'est enchaîné très vite. Tes parents ont été fantastiques : ils ne t'ont pas mis de bâtons dans les roues. Ils t'ont soutenue et n'ont pas cessé de te protéger. Disques, presse, émissions de radio et de télé, tes journées étaient bien remplies. Le soir, tu rentrais à la maison, comme n'importe quelle adolescente.

Tu n'avais que seize ans quand le succès est apparu. Sans bien réaliser ce qui t'arrivait, tu répondais timidement, avec hésitation, à ce nom de Sheila qui allait décider de ta vie.

Le chemin de la gloire n'est pas un long fleuve tranquille. Pourtant, tu as su faire face à tous les défis. Tu as beaucoup travaillé. Tu voulais toujours bien faire, être à la hauteur des attentes. Tu t'accrochais, encore et toujours.

Ma petite Anny, après tant d'années, j'ai gardé la conviction que, si quelque chose nous tient vraiment à cœur, on finit toujours par l'obtenir. Comme toi, je n'ai jamais cessé de rêver. Toujours partante pour de nouveaux défis !

Il me reste tant de choses à faire… Grâce à toi, j'ai semé pendant des années. Aujourd'hui, avec toi, je récolte la moisson. Et j'en fais des bouquets d'amour.

18

S'ouvrir à la spiritualité

Certains d'entre vous s'en souviennent peut-être, j'ai écrit voici plus de vingt ans dans *Chemins de lumière*: «L'univers a été créé par la force transcendantale. Nous ne restons pas moins un élément de cette force, une petite partie d'un ensemble qui est régi par cette puissance. Peu importe le nom qu'il porte, Dieu, Allah, Vishnou, le ciel vous accompagnera, allumant votre lumière intérieure sur le chemin de votre découverte.»

Depuis des siècles, chercheurs et scientifiques de tout bord s'interrogent sur la possibilité d'un au-delà. De nombreux médiums, quitte à passer pour des illuminés, ont tenté de prouver, dans des conférences et au cours de séances de spiritisme, la véracité de leur expérience.

Allan Kardec, au XIXᵉ siècle, fut l'un des premiers à rapporter, dans son *Livre des esprits*, ses conversations avec des entités. Sa lecture m'a beaucoup marquée. Publié quelques années plus tard, *Le Livre des médiums* reste aujourd'hui encore fort instructif pour une première approche – bien que, plus d'un siècle plus tard, les choses aient évolué et que les explications de Kardec ne nous paraissent plus vraiment plausibles.

Aujourd'hui, je préfère l'approche de Patricia Darré. Cette journaliste et médium, auteur d'*Un souffle vers l'éternité* et de *L'Invisible et la Science*, écrit dans son dernier livre, *N'ayez pas peur de la vie*[1], que toute personne qui entre dans une période de transition est amenée à repenser ses rapports avec le monde qui l'entoure et à surmonter de nouveaux obstacles, afin de retrouver un équilibre physique et psychique. Patricia Darré indique des solutions pour y parvenir. Sa lecture, captivante, m'a apporté un éclairage nouveau. Cependant, je dois bien admettre que l'on rencontre dans ce milieu beaucoup de charlatans qui s'inventent des dons. Or tout le monde n'a pas la capacité d'être médium.

Il arrive parfois que des êtres qui ne semblaient pas suivre la même route finissent par se croiser et par changer de direction, en raison de l'intérêt qu'ils portent mutuellement à leurs recherches. C'est ce qui est arrivé à Camille Flammarion, un astronome français né en 1842. Ses découvertes scientifiques dans le domaine de l'astronomie, de l'atmosphère terrestre, du climat ou de la biologie ont fait l'objet d'innombrables conférences et l'ont amenée à publier une cinquantaine de livres sur ces sujets.

---

1. Trois ouvrages parus aux éditions Michel Lafon (2012, 2014 et 2016).

Puis, après une rencontre avec Allan Kardec, ce scientifique confirmé a consacré une moitié de sa vie à l'écriture d'ouvrages sur les sciences spirites. On ne croise jamais un être par hasard! Dans *La Pluralité des mondes habités*, publié à vingt ans, Camille Flammarion écrit: «Notre séjour terrestre est un lieu de travail où l'on vient perdre un peu de son ignorance originelle pour s'élever un peu vers la connaissance; le travail étant la loi de la vie, il faut que dans cet univers, où l'activité est la fonction des êtres, on naisse en état de simplicité et d'ignorance; il faut qu'en des mondes peu avancés on commence par des œuvres élémentaires; il faut qu'en des mondes plus élevés on arrive avec une somme de connaissances acquises; il faut enfin que le bonheur auquel nous aspirons soit le prix de notre travail et le fruit de notre ardeur.»

Quant à Allan Kardec, voici ce qu'il écrit de l'âme dans *Le Livre des esprits*: «On pourrait donc dire, et ce serait peut-être le mieux, l'*âme vitale* pour le principe de la vie matérielle, l'*âme intellectuelle* pour le principe de l'intelligence et l'*âme spirite* pour le principe de notre individualité après la mort. [...] D'après cela, l'*âme vitale* serait commune à tous les êtres organiques: plantes, animaux et hommes; l'*âme intellectuelle* serait le propre des animaux et des hommes, et l'*âme spirite* appartiendrait à l'homme seul.»

L'âme! J'allais vous en parler. C'est une mémoire plus puissante que n'importe quel disque dur. Vie après vie, elle engrange toutes nos expériences, tous nos souvenirs, conserve nos chocs émotionnels, nos blessures, nos acquis, nos bonheurs. Ces mémoires cellulaires, vous risquez de les retrouver lors d'une prochaine incarnation, sans même en reconnaître l'existence.

Ce qui est réussi aujourd'hui ne sera plus à faire demain : c'est définitivement enregistré dans votre disque dur, dans votre corps. Une fois remplies, vos cellules sauront, le moment venu, vous envoyer le message qui vous permettra d'éveiller une sensation, un bien-être, un mal-être, une douleur, une oppression qui éveillera chez vous une réaction.

Ne vous étonnez donc pas que nous en arrivions doucement à la notion de réincarnation et de karma. Ce terme de la langue sacrée des religions hindouiste et bouddhiste correspond à la somme des actions que nous avons faites dans des vies antérieures et détermine notre présent.

Chaque vie est une épreuve, un test à passer. Comme au baccalauréat, on peut aussi bien échouer que réussir avec mention. Si nous avons mal agi dans une vie, nous le paierons dans la suivante. Il nous faudra subir des épreuves dans un contexte différent, en fonction du lieu et de l'époque. La personne punie peut se racheter pour préparer une vie meilleure. Le but suprême étant, vie après vie, de parvenir à la sagesse.

Évidemment, tout est question de foi, diront les sceptiques qui veulent voir pour croire, les athées qui refusent tout en bloc (comme je plains la solitude de leur vie !) et, enfin, ceux qui ne demandent qu'à croire. Chacun son expérience. La vôtre peut être passionnante, soyez-en sûr. Libre à vous de choisir votre « camp » ! Le mien, vous le connaissez.

La conscience nous a été offerte en cadeau. Sachons nous en servir à de bonnes fins. Cet atout ne peut rester en plan et dépérir par simple ignorance. Pourquoi ne pas vous donner la chance d'ouvrir les portes d'une nouvelle vie, heureuse, comblée et pleine de surprises ?

La lumière qui brille à l'intérieur de chacun de vous n'attend qu'un signe pour éclairer votre route. Ces envies, ces pensées qui vous troublent et que vous rejetez parce que votre façon de penser et votre éducation les refusent, elles sont pourtant bien là ! La première des clés est toute simple et très facile à mettre en œuvre. Lorsqu'une envie vous traverse l'esprit, que vous la rejetez parce qu'elle vous paraît saugrenue et irréalisable, demandez-vous plutôt : d'où vient-elle ?

Le corps est la maison de notre esprit, de notre âme, de nos souvenirs lointains. Pourquoi les laisser enfouis sous une énorme couche de problèmes, quand il y a moyen d'y remédier ?

Les bonzes, les hindous qui méditent pendant des heures en récitant leurs mantras ne le font pas pour rien. Les sons répétés mentalement produisent des vibrations intenses, qui apportent au corps repos et régénérescence. Surtout, ils mettent les êtres en relation avec leur lumière intérieure.

La mémoire cellulaire connaît tout de vos souvenirs les plus lointains, ceux qui ont laissé des marques indélébiles, des émotions que vous ne devez pas éviter, mais au contraire apprivoiser, découvrir en vous écoutant un peu plus sérieusement.

Nous sommes des êtres dotés d'intelligence, de sentiments qui nous offrent des milliers de possibilités inexploitées. Pourquoi rester aveugles? Par peur de l'inconnu? N'est-il pas justement ce qu'il y a de plus intéressant dans la vie? Et d'ailleurs, puisqu'il vous parle de vous, l'inconnu est-il vraiment l'inconnu?

N'avez-vous pas envie de découvrir tout ce que vous savez sans le savoir, tout ce que vos cellules conservent soigneusement caché? C'est un trésor qui vous appartient et qui vous permettra de guérir certains de vos maux et d'effacer certaines de vos angoisses.

D'où viennent ces sensations de joie lors de rencontres qui vous paraissent si évidentes? Ces douleurs d'estomac ou ces migraines provoquées, lors d'un dîner, par un convive dont la présence vous met mal à l'aise et dont vous brûlez de vous éloigner au plus vite? Ne fuyez pas ces sensations, elles ne sont pas fortuites: votre âme, vos cellules vous parlent. Ces signaux avec lesquels, sans le savoir, vous avez clos le dialogue vous renseignent sur votre histoire, sur les dangers qui vous ont déjà fait souffrir. Il peut s'agir d'un très vieil ennemi qui vous a trahi, ou qui a attenté à votre vie; comme il peut s'agir d'une sœur, d'une mère, d'une douce amie qui a traversé et partagé un morceau de votre vie. Quoi qu'il en soit, vous avez tout en main pour trouver les réponses et vivre heureux avec vous-même. Ce qui doit vous amener, cela coule de source, à vous ouvrir en privilégiant les bonnes rencontres.

Vous vous demandez peut-être: «Comment y parvenir?» En ce qui me concerne, j'aime apprendre et comprendre. Par-dessus tout, je suis mon instinct.

Victoire de la musique 2013
pour l'ensemble de ma carrière :
un moment inoubliable !
(ph. Christophe Boulmé)

Je m'entraîne au judo en vue de ma chanson
« L'Agent secret » (1969), où j'envoie au tapis
plusieurs assaillants. Mon genou, hélas,
n'y résistera pas ! *(ph. Michel Ristroph/Télé 7 Jours/Scoop)*

L'année suivante, de nouveau pr
à plonger ! *(coll. part., d.r.)*

En pleine répétition d'un ballet avec Arthur
Plasschaert, en 1973.
(ph. Benjamin Auger/Archives Filipacchi/Scoop)

Leçon de patinage avec Claude François.
Il me manque toujours autant.
(ph. Michel Ristroph/Télé 7 Jours/Scoop)

Sur l'eau ou sur la
neige, mais toujours en
mouvement !

(ph. James Andanson)

La planche à
voile… idéal pour
les abdos !

(coll. part., d.r.)

Après l'Olympia 1998, le médecin m'avait
dit : « La danse, c'est terminé. » Dix-huit
ans plus tard, je danse toujours !

(ph. Christophe Boulmé)

Classique, moderne, jazz, claquettes… Quel que soit le style, la danse est toute ma vie.

(coll. part., d.r.)

Avec Véronique Bonhomme,
mon coach, avant l'effort.

(ph. Christophe Boulmé)

Et maintenant, passons aux exercices !
Étirement de l'arrière-cuisse et renforcement du dos. On respire, on se relaxe, on
pousse bien sur les mains ! Les débutants
peuvent le réaliser jambes fléchies, talons
soulevés. *(ph. C. Boulmé)*

On renforce son dos, on étire ses
cuisses ! *(ph. C. Boulmé)*

Pour les plus avancés : montez les bras
vers la tête. *(ph. C. Boulmé)*

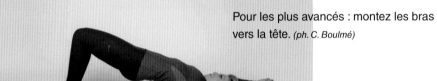

Pour finir, revenez lentement à la
position initiale. *(ph. C. Boulmé)*

Étirement des ischio-jambiers : jambe pliée, dos et épaules au sol.
(ph. C. Boulmé)

Étirement maximal des ischios : jambe tendue, pied flex,
dos et épaules au sol. *(ph. C. Boulmé)*

Et pour les plus avancés… le grand écart total ! *(ph. C. Boulmé)*

L'important dans la vie, c'est l'équilibre. Oui, mais sur une frite !
À essayer, rien que pour le fun. *(ph. C. Boulmé)*

Toujours précise, Véronique Bonhomme rectifie ma position. Je m'applique… mais ça m'agace ! *(ph. C. Boulmé)*

Il va devenir votre meilleur ami, il est caché au fond du sac… c'est l'élastique ! *(ph. C. Boulmé)*

Étirement des abdominaux. Mains sous la tête ou bras au sol : on se détend, on respire. *(ph. C. Boulmé)*

Gainage : le corps entier travaille. Je vous recommande de rouler sur la frite en restant sur les cuisses, juste pour sentir la douleur.

(ph. C. Boulmé)

Écart facial. Étirement des adducteurs, sans oublier de serrer les abdominaux. Que serions-nous sans la frite ! *(ph. C. Boulmé)*

Réservé aux sportifs : le gainage avec la frite, pour renforcer le dos.

(ph. C. Boulmé)

Étirement complet du dos. Si vous n'y arrivez pas tout de suite, c'est normal !

(ph. C. Boulmé)

À deux, c'est bien plus drôle ! *(ph. C. Boulmé)*

Après l'effort, c'est encore plus fort. *(ph. C. Boulmé)*

LES DANGERS D'UNE MAUVAISE POSTURE ASSISE
LES DÉGATS CORPORELS POSSIBLES

Être assis trop longtemps n'est pas bon. Abus de télé ou d'ordinateur, que se passe t-il dans notre corps quand nous nous immobilisons trop longtemps? Quatre experts ont détaillé une chaîne de problèmes de la tête aux pieds.

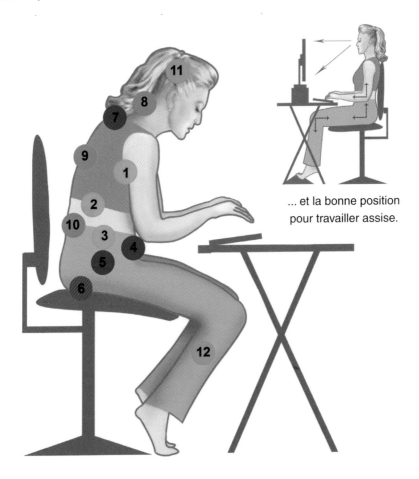

... et la bonne position pour travailler assise.

LES ORGANES
1- Maladies cardiaques (hypertension, cholestérol)
2- Pancréas surproductifs (diabète...)
3- Cancer du côlon (mais aussi sein et utérus)

LES MUSCLES
4- Abdominaux mous (hyperdolose)
5- Hanches raides (perte d'équilibre)
6- Fessiers faibles (perte de stabilité)
7- Trapèze (épaules et dos endoloris)

LES OS ET CARTILAGES
8- Vertèbres cervicales tendues
(déséquilibre permanent)
9- Colonne vertébrale rigide, durcissement des disques
10- Hernie discale

LA CIRCULATION
11- Cerveau brumeux
12- Trombose veineuse

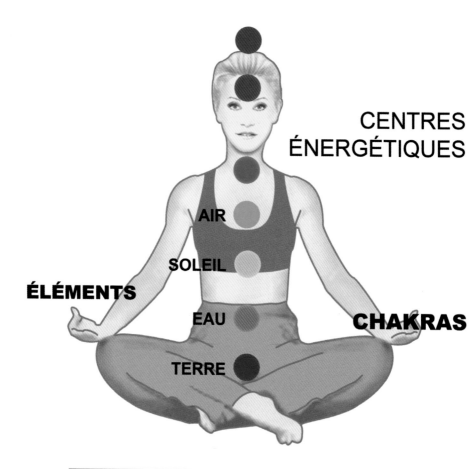

CENTRES
ÉNERGÉTIQUES

AIR

SOLEIL

ÉLÉMENTS

EAU

CHAKRAS

TERRE

NOM	COULEUR	ÉLÉMENT	MANTRA
RACINE	●	TERRE	LANG
SACRÉ	●	EAU	WANG
PLEXUS SOLAIRE	●	SOLEIL	RANG
CŒUR	●	AIR	YANG
GORGE	●	ESPACE	HANG
FRONTAL	●	ESPACE	OM
COURONNE	●	ESPACE	/

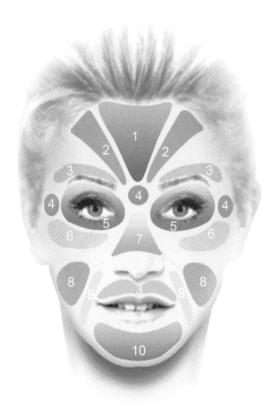

1	intestin grêle	
2	vésicule	
3	coeur	
4	foie	
5	reins	
6	estomac	
7	pancréas rate	
8	poumons	
9	gros intestin	
10	organes génitaux	

RÉFLEXOLOGIE FACIALE

Honorée pour l'ensemble de ma carrière, je chante « Bang Bang » aux Murex d'Or du Liban, le 29 mai 2016. *(ph. Asaad Assar)*

La lecture m'a ouvert l'esprit. Je n'ai jamais fui une rencontre imprévue. C'est d'ailleurs en lisant le récit de la rencontre d'une journaliste avec Patrick Drouot, dans un numéro du *Figaro Madame*, que, sans me poser de questions, je l'ai appelé et ai pris rendez-vous avec lui.

«Pourquoi?» Telle est bien la question que je ne me pose pas. Si c'est pour découvrir quelque chose qui peut me faire progresser, je fonce et j'avance. L'important est de rester constamment en éveil.

Je vous ai parlé du Dr Sallard. Notre rencontre n'était programmée que dans le ciel. J'ai simplement entendu son nom plusieurs fois, prononcé par des personnes différentes qui ne s'étaient jamais rencontrées. Intriguée par ce Dr Sallard qui revenait régulièrement à mon oreille, ma curiosité m'a guidée vers lui. Il est devenu un ami et un maître pendant près de vingt-cinq ans, m'apportant des réponses à des questions restées en suspens sur la spiritualité, les prières, l'Atlantide.

Je le revois, assis derrière son bureau, entouré de pierres de toutes sortes disposées autour de lui, dégageant les énergies dont il avait besoin. Son pendule à la main, il prescrivait des plantes et des médications qui se sont toujours révélées efficaces et merveilleuses. Certaines fois, il entrait en contact avec un esprit qui délivrait un message qui m'était destiné, ce qui me comblait de bonheur. Aujourd'hui qu'il ne m'appelle plus «ma douce chérie», j'attends un signe qui me fera rencontrer celui ou celle qui me permettra de continuer un apprentissage qui ne finit jamais.

Tant de choses nous échappent. Quoi de plus fantastique que de chercher à comprendre? Ouvrez votre cœur, vous croiserez sur votre route l'être qui vous enseignera. Un seul conseil : ne suivez pas votre raison, laissez-vous guider par ce que votre cœur vous dicte.

Je m'en réjouis à l'avance pour vous, car je connais bien ce qui vous attend. Je ne désire que voir vos yeux briller différemment lorsque vous décrocherez un sourire. Un bien-être que vous verrez grandir, un peu de sérénité dans ce monde de brutes, voilà tout ce que je vous souhaite.

Notre lumière intérieure est là. Restons en éveil, la suite nous attend avec son lot de merveilleuses surprises. Beau programme, non ?

19

Hommage aux anges gardiens

Les anges gardiens existent-ils? Si oui, qui sont-ils? Des doubles de nous-mêmes? Vivent-ils en nous ou ont-ils une existence extérieure? Autant de questions légitimes, auxquelles vous ne trouverez que trop rarement des réponses.

Chacun de nous possède au moins un ange gardien, qui n'est peut-être pas le même tout au long de la vie. Ils peuvent aussi être plus nombreux, en fonction des circonstances et des étapes de notre existence. Selon certaines études menées sur ces êtres mystérieux et protecteurs, les signes de leur présence peuvent prendre une multitude de formes.

Les textes religieux et mystiques, les contes et légendes qui remontent aux temps les plus anciens font état de ces êtres mystérieux, intermédiaires entre le Ciel et la Terre, qui traversent le monde aux côtés des hommes. On y croit ou on n'y croit pas. Mais qui n'a jamais dit ou pensé, en venant d'échapper à un danger: «Heureusement que mon ange gardien était là»? Ou encore, si la situation a dérapé : «Mais que faisait mon ange gardien?»

Il faut sans doute une certaine disponibilité d'esprit et certaines circonstances pour percevoir leur présence. Mais leur manifestation dans notre quotidien n'est peut-être pas si rare. Pour ma part, je pense que nous vivons entourés de ces êtres invisibles qui tentent, tant bien que mal, de nous protéger et de nous aider à grandir spirituellement. Ils nous accompagnent et nous pouvons faire appel à eux dans des situations difficiles.

Il suffit souvent de solliciter l'un de ses anges gardiens pour qu'il nous aide dans nos démarches. Ils sont là pour nous faciliter les choses et pour nous protéger. Pourquoi ne pas faire appel à eux?

Ma première rencontre avec un de mes anges gardiens a eu lieu lors d'un cours de danse. Quel que soit le style, la danse est toute ma vie : classique, moderne, jazz, claquettes... Je la pratique depuis l'enfance. Mais, pendant de longues années, j'ai ignoré que, de temps à autre, je n'étais pas seule à suivre le cours. Jusqu'à ce jour de 1989, alors que je me préparais physiquement en vue de mon spectacle à l'Olympia.

Ce jour-là, comme d'habitude, j'avais commencé le cours par une mise en condition respiratoire et psychologique. Le but était de se détendre, allongée à plat sur le sol. Je ne sais pourquoi, malgré mes efforts, je n'y arrivais pas parfaitement. J'avais la sensation d'être «à côté de mes pompes».

J'entamai ensuite la phase d'assouplissement pour terminer debout devant la glace, en regardant fixement devant moi. J'étais habituée à voir mon reflet entouré de son aura, ce faisceau de lumière qui cernait complètement mon corps. Mais ce jour-là, c'était différent : l'aura se trouvait déviée sur la gauche de mon corps, dessinant très exactement ma position, telle l'ombre portée d'un corps au soleil. À ceci près que cette «ombre» se manifestait sous l'aspect d'une lumière blanche, brillante et mouvante comme un feu follet.

Sur le coup, je pris peur. J'étais intérieurement affolée. Rentrée chez moi, je me suis empressée d'appeler le Dr Guinebert, qui savait si bien expliquer l'inexplicable. Cet homme a joué un rôle très important dans ma vie. Il m'a ouvert les portes de la spiritualité, m'a appris à porter un regard différent sur moi-même. J'avais seize ans lorsque je fus amenée à le consulter. Il était kinésithérapeute et, comme toutes les danseuses, j'avais des problèmes de dos. Il fait aujourd'hui partie des milliards de constellations scintillantes qui brillent haut dans le ciel. Mais il a changé ma vie pour toujours, en m'aidant à prendre spirituellement conscience d'une multitude de choses. Il a réveillé mon esprit, retranché derrière un corps qui vivait à cent à l'heure.

Quand je lui ai raconté ce qui m'était arrivé, il m'a tout de suite rassurée en m'annonçant que j'avais eu la grande chance d'entrevoir mon ange gardien. Il m'a expliqué que, même si j'étais en pleine forme physique, je devais être éprouvée émotionnellement. De ce fait, l'état de réceptivité dans lequel je me trouvais m'avait permis de voir un de mes guides. Je ne devais pas m'inquiéter, tout allait bien !

Par la même occasion, j'ai appris que mon ange gardien avait vécu au XVIe siècle et qu'il se prénommait Stanislas.

Nous avons tous nos propres guides, que nous pouvons rencontrer un jour ou l'autre. Dès lors, il devient possible de les appeler ou de les faire venir avant de s'endormir, par exemple. Ainsi, j'ai appris à communiquer et à converser avec celui qui était chargé de ma protection. Je pense qu'il a dû subir les effets pervers de ceux qui m'en voulaient et rêvaient de me voir disparaître car, en 1987, il ne m'a pas protégée de la maladie qui a failli me coûter la vie... mais on peut aussi considérer que, si je suis encore là, c'est grâce à lui !

J'ai eu d'autres signes de leur existence. Lors d'une visite chez le Dr Sallard, un des meubles qui ornaient son bureau craqua. Le docteur me déclara aussitôt : « Quelqu'un veut te parler. Maintenant. Donne-moi une seconde, je vais te dire qui est là. » Voilà comment j'ai découvert mon deuxième ange gardien, Yelle – un bien joli nom qui me fait penser à du miel très doux pour la gorge.

Quoi que l'on puisse en penser, vous ne m'ôterez pas de l'idée que, lorsque vos parents disparaissent, ils montent là-haut et, à la fois de loin et de près, continuent de surveiller et d'aider leur progéniture.

Après le départ de mes parents, combien de fois me suis-je retrouvée devant un tableau que j'étais en train de peindre, dans l'incapacité de donner vie à la matière d'un tissu ! Il me suffisait de sortir quelques minutes dans le jardin pour demander à ma mère, le peintre de la famille, la solution pour régler ce problème insoluble. Ensuite, je revenais m'installer dans l'atelier, devant la toile, pinceaux en main, je mélangeais les couleurs et, sans savoir pourquoi ni comment, mes mains exécutaient les gestes exacts pour faire tourner le tissu et le rendre vivant.

J'ai vécu le même genre d'expérience avec mon père, lors d'un gala en Bretagne. Sur la route, nous ne cessions d'apercevoir des croix en pierre... et pas moyen de retrouver le nom de ces petits monuments! Je l'avais sur le bout de la langue. Je me suis surprise à penser : « Si mon père était là, il me donnerait immédiatement la réponse. »

Sans réfléchir, je décidai de lui poser la question à haute et intelligible voix. Il m'a fallu entre cinq et dix secondes pour obtenir une réponse, vive comme un éclair dans le ciel : un *calvaire*! Je l'ai remercié pour son efficacité :

— Papa, tu es et tu resteras toujours le plus fort!

Je crois profondément que la disparition d'êtres chers ne les coupe pas de vous dans l'au-delà. Il suffit de leur parler pour qu'ils s'efforcent de se manifester ; mais il est bien évident qu'en ne demandant rien, on ne recevra rien. Quoi de plus simple que de poser une question et d'attendre? Moi, je sais que la réponse viendra. Et plus on pratique, plus on se rapproche de ceux qui sont là pour nous protéger. Il est rassurant de se dire qu'une entité, près de nous, est capable de nous apporter une réponse, de nous aider en toutes circonstances.

Il m'est aussi arrivé de prendre le petit-déjeuner avec Eva, mon arrière-grand-mère. Je l'ai connue par l'intermédiaire de plusieurs médiums qui m'affirmaient qu'une personne prénommée Eva me protégeait. Quand j'en ai parlé à ma mère, elle s'est écriée :

— Mais c'est le prénom de ma grand-mère, la mère de Mamy !

Elle m'a appris que cette femme étrange passait ses nuits à écrire et à parler avec des voix. Si certains l'appréciaient, d'autres la prenaient pour une sorcière ou la disaient un peu dérangée. J'ai retrouvé dans le grenier de ma grand-mère une carte postale jaunie représentant Eva, vêtue en tricolore, sous l'intitulé : « Nouvelle incarnation de Marianne. » À ses pieds, cette légende : « Madame Eva, conférencière. » J'ai trouvé cela plutôt amusant.

Longtemps, le buffet de la salle à manger de mes parents a craqué de façon inexplicable. Bien sûr, j'y voyais l'intervention d'Eva. Ne craignant aucun esprit malin, je m'amusais à converser avec l'invitée, qui semblait avoir élu domicile dans ce buffet. C'était très drôle, mais il faut toujours être vigilant car on ne sait jamais à qui on a affaire.

On sait depuis bien longtemps que ces phénomènes surnaturels ne sont pas dangereux. Ils s'expliquent simplement par le fait que quelqu'un cherche à se faire remarquer, à se faire comprendre. Si toutes ces manifestations sont troublantes et peuvent laisser sceptique, elles sont malgré tout aussi réelles que la pluie ou le soleil.

Tout le monde peut être amené, un jour ou l'autre, à constater un phénomène dit paranormal ; il suffit pour cela d'être réceptif au moment où ce genre d'événement se produit.

Ainsi, je suis certaine qu'il vous est déjà arrivé de vous sentir mal à l'aise en visitant une maison, d'avoir envie de ressortir, de fuir cet endroit. D'instinct, vous sentiez qu'il ne pouvait être que néfaste pour vous.

Depuis ma plus tendre enfance, j'ai moi-même constaté que je croisais régulièrement des maisons habitées par des êtres invisibles. Protecteurs ou malfaisants ? Il faut savoir écouter ses premières impressions : elles vous indiquent si ce qui vous entoure est bon ou mauvais pour vous.

Votre corps, vos cellules vous diront toujours où est le danger. N'écoutez pas ceux qui vous entourent, suivez votre instinct. Il ne vous trahira jamais.

Ainsi, on peut dire que chacun d'entre nous est un médium qui s'ignore. Et peu m'importe que vous me pensiez folle : cela existe !

20

Une vie avant la vie?

Atavisme, influence de mon arrière-grand-mère Eva, femme extraordinaire et médium de surcroît : depuis ma plus tendre enfance, j'ai été attirée par le rêve, l'irréel, l'irrationnel, les phénomènes étranges.

J'ai toujours fait preuve d'une grande curiosité, d'un besoin irrépressible de donner un sens à mon existence, de la comprendre, de la diriger. Pour moi, la compréhension du sens de la vie est tout aussi importante pour notre équilibre psychologique et spirituel que le fait de se nourrir l'est pour le bien-être du corps.

Je n'ai occulté aucune expérience susceptible de se présenter à moi. Je crois que cette curiosité, dont chacun peut faire preuve, ne peut être que source de richesse intérieure.

En même temps, certaines expériences vous aident à mieux vivre, pour la simple raison qu'elles vous protègent de la peur de mourir. Que de freins sont provoqués par la peur! Et ce, à tous les niveaux. Or, si vous savez que vous n'avez rien à perdre, il est beaucoup plus facile d'oser. Cela passe évidemment par une grande confiance en soi. Et par la prise de conscience que la mort n'est pas une fin, mais le début d'autre chose.

La peur de l'inconnu, la peur de la mort, cette éternelle question du pourquoi de l'existence, habitent à des degrés divers chaque être humain sur cette terre. Est-il imaginable qu'après la mort toute l'expérience accumulée au cours d'une vie terrestre soit irrémédiablement perdue et disparaisse à tout jamais ? Question épineuse à laquelle il est bien difficile de répondre, dans l'état actuel du niveau de conscience humaine.

Et pourtant, beaucoup d'entre nous ont l'intime conviction que cet acquis perdure dans l'au-delà. Depuis la nuit des temps, tous les peuples de la terre ont l'intime conviction que la vie ne se termine pas après la mort et que l'existence est un passage. Chaque être humain désire le bonheur suprême. Chacun perpétue la mémoire et le souvenir des parents ou des amis qu'il a perdus, et se console en espérant les retrouver dans l'au-delà ou dans une autre vie.

La connexion avec le passé reste notre terre de culture, celle qui crée. Elle détient les réponses à ces deux questions : d'où venons-nous ? où devons-nous aller ?

Pour moi, la réincarnation ne fait aucun doute. Et si la mort n'est pas une fin, cela signifie, à l'inverse, que nous avons pu avoir d'autres vies. C'est pourquoi j'ai participé à des séances de recherches sur mes vies antérieures.

Comme on ne se lance pas dans ce genre d'expérience avec n'importe qui, n'importe comment, j'ai trouvé la réponse dans un article de presse consacré à un spécialiste des plongées dans le passé, nourri des apports des traditions occidentales, orientales et des rites et coutumes des Amérindiens. Il avait déjà fait vivre des régressions à plusieurs milliers de personnes grâce à sa propre technique, à base de relaxation et de respiration avec des cassettes diffusant des musiques et des ambiances sonores. L'auteur de l'article, ayant fait le «voyage», avait trouvé l'expérience stupéfiante.

Je me suis donc mis en tête d'obtenir un rendez-vous avec ce physicien diplômé de l'université Columbia de New York. Il s'appelle Patrick Drouot. J'espérais, à travers certaines de mes vies, apprendre de mes erreurs. Je voulais savoir, je voulais comprendre.

Confortablement allongée sur un canapé, un casque sur les oreilles, j'entamai ma première séance sans aucune appréhension. Assis derrière moi, Patrick Drouot m'a demandé de fermer les yeux, de prendre des respirations profondes pour relaxer mon corps par étapes, en partant des pieds. Je connaissais déjà la technique, pour la pratiquer le soir avant de m'endormir : le corps s'endort, mais l'esprit reste en éveil.

Suivant la voix de Patrick Drouot, mon corps devenait lourd, j'avais l'impression de peser trois tonnes. La musique commençait à envahir ma tête. Une voix monocorde m'ordonna de visionner un pré au printemps. Je me voyais marcher au milieu des champs, pleins de pommiers en fleurs. Le soleil étincelait sur ma robe blanche, j'étais allongée dans l'herbe. Petit à petit, je parvins même à sentir une odeur d'herbe fraîche. La voix fit flotter au-dessus de moi une bulle de lumière qui enveloppa progressivement mon corps. Je me sentais voler, j'étais devenue d'une légèreté incroyable.

La voix monocorde, toujours plus pressante, continuait de me guider. Je sentis mon corps tomber dans un trou à une vitesse vertigineuse. Sensation de vide oppressante. J'arrivais à la fin du tunnel quand la voix me demanda de visionner... des pieds, les pieds du passé. Sous l'impulsion de la voix qui me demandait toujours plus de détails, des images de plus en plus nettes s'imposèrent. Je les commentais à voix haute à mesure qu'elles m'arrivaient : la description physique du personnage, ses habits, son allure, son environnement, un lieu, une époque.

La séance dura environ une heure et demie, au cours de laquelle je m'identifiai à un moine tibétain, vêtu d'une longue tunique, vivant dans un monastère perché dans la montagne. Dans cet endroit, je me sentais chez moi, j'étais cet homme. Je voulus alors découvrir sa vie. La voix intervint :

— Quelles étaient vos fonctions particulières dans cet endroit ?

Je répondis que la méditation, le calme, étaient très présents en ce lieu. Avec l'homme assis en tailleur, je me plongeai au plus profond de sa méditation. Dans cette grande salle, je fusionnai avec lui, je devins le méditant. Tout se passait au ralenti. Je percevais la sensation correspondant aux images qui défilaient sous mes paupières closes. J'étais bien, tout mon corps baignait dans l'harmonie.

La voix m'indiqua que j'allais visionner le dernier jour de ma vie. Je me sentis avancer dans le temps en accéléré, puis je me vis mort, gisant à terre, sur le bord d'une route caillouteuse. La voix me ramena quelques minutes en arrière pour comprendre pourquoi j'étais tombé là. Je me vis marcher, je ne ressentais aucune douleur. L'épuisement, tout simplement, avait eu raison de ma vie. J'étais tombé sur le côté, mort comme j'avais vécu, sans faire de bruit, tandis que d'autres moines en cortège poursuivaient leur chemin.

Mais ce voyage dans le passé ne répondait pas à une simple curiosité.

— Nous allons faire un lien entre la vie de ce moine et la vie du présent, ordonna la voix. Y a-t-il un lien ?

À bien y réfléchir, ce qui réunissait nos deux vies, c'était la sensation d'avancer, l'absence de doutes, la croyance à l'état pur.

De retour dans le présent, je voulus ramener avec moi la sensation de paix et de plénitude que j'avais éprouvée. Je retrouvai peu à peu ma conscience normale, avec ces sensations extraordinaires, ces images, ces lieux, ces montagnes, ces sentiers qui grimpaient vers l'infini. Dirigée par la voix, je revins tout à fait à la réalité, puis, après avoir discuté de ces images encore toutes fraîches à mon esprit, je pris congé de Patrick Drouot.

Le plus difficile fut de reprendre ma vie quotidienne. Je devais pourtant rentrer chez moi. Quel choc en me retrouvant dans la rue ! Tous ces gens, cette circulation, ces feux rouges et ces klaxons... Au volant de ma voiture, je ne parvenais pas à me décider à démarrer au vert. Encore imprégnée de paix, de silence et de méditation, j'attendais. L'agitation de la rue me paraissait invraisemblable. Je ne me rappelle pas avoir conduit aussi lentement de toute ma vie sur la route de la maison.

Je suis restée ainsi plusieurs jours, plongée dans ce curieux voyage, comme dans un rêve. Régulièrement, les images que j'avais visualisées au cours de la séance revenaient s'insinuer en moi, provoquant toujours la même impression d'harmonie.

Au bout de quelques jours, tout est redevenu normal, mais j'avais tout de même changé. J'avais découvert ce que pouvait être la sérénité, l'équilibre. Peut-être ai-je acquis aujourd'hui un peu plus de sagesse, mais, par-dessus tout, je suis apte à trouver la paix n'importe où, n'importe quand, aussitôt que le besoin ou l'envie s'en font sentir.

Ce moine tibétain que j'ai identifié dans une mémoire ancienne a laissé en moi des traces indélébiles. J'ai découvert des réponses aux questions que je me posais sur mon comportement. Par exemple, j'ai souvent l'habitude, lors de dîners, d'être là physiquement, d'entendre la conversation, et d'être en même temps complètement déconnectée, l'esprit ailleurs. Autre exemple : cette façon innée pour moi de pratiquer les respirations du yoga pour me relaxer, étape par étape, en commençant par les doigts et en remontant vers la tête. Personne, pourtant, ne m'a jamais enseigné cette méthode.

Comme je l'ai évoqué dans *Chemins de lumière*, j'ai refait d'autres séances, retrouvé les vies qui furent miennes à d'autres époques, sous d'autres aspects. Elles m'ont fourni d'autres clés pour expliquer mon présent et mon futur. Je me doute bien que cela paraîtra tout à fait saugrenu aux esprits cartésiens qui ne croient pas à la réincarnation. Mais n'y a-t-il qu'une vérité? Dans d'autres civilisations, éminemment respectables, l'idée de la réincarnation est une donnée non discutée.

Quoi qu'il en soit, cette expérience de régression dans des vies antérieures m'a confortée dans l'idée que les souvenirs anciens nous modèlent et nous servent sans que nous comprenions d'où ils viennent. Cette crainte irraisonnée du feu ou de l'eau, cette douleur inexpliquée, ce malaise en face de telle ou telle personne ne peuvent-ils provenir de quelque traumatisme subi dans des vies antérieures?

La mémoire des temps reste gravée en nous. Certaines parcelles de nos vies d'avant resurgissent sans que nous nous en doutions. J'ai ainsi pris conscience qu'il y a, en chacun de nous, une somme de connaissances qui risque de rester enfouie faute d'en avoir conscience. Ne sommes-nous pas nombreux à avoir éprouvé cette impression de «déjà vu», ce sentiment d'avoir déjà vécu une scène de notre vie, de reconnaître une ville où nous n'avions jamais mis les pieds, ou encore de trouver un air familier au visage d'un inconnu? Ces sensations fugaces échappent à la raison. C'est comme si, tout à coup, nous quittions le présent pour retrouver dans notre inconscient des traces du passé. Tout le monde peut l'éprouver, mais personne n'a encore pu l'expliquer sérieusement.

Je peux témoigner que retrouver son passé aide à mieux se comprendre et à mieux vivre. Le praticien avec qui je vivais ces remontées dans le temps m'a raconté un jour l'histoire d'un de ses patients.

Il souffrait depuis des années d'une douleur aux cervicales. Aucun professeur, ostéopathe ni kiné, n'avait su trouver les raisons de ces douleurs. Patrick Drouot le reçut dans son cabinet et décida de pratiquer un retour en arrière. Et voilà comment ce monsieur découvrit que, lors d'une de ses vies, il était mort guillotiné ! À partir de ce jour, les douleurs insupportables qui l'empêchaient de vivre paisiblement disparurent et ne revinrent jamais. Le fait d'avoir extrait de sa mémoire, afin de le visualiser, le choc initial de la lame resté gravé dans ses cellules, avait mis fin à son problème.

Toujours avide d'aller plus loin, je me suis aussi livrée à des expériences de *rebirth*, que j'ai également racontées dans *Chemins de lumière*. Il s'agit, là encore, de faire revivre le passé, non pour exhumer une autre vie, mais pour remonter au plus loin de sa vie actuelle, c'est-à-dire à la naissance, voire à la vie intra-utérine.

Lors des séances, il faut être accompagné d'un spécialiste. La méthode, complexe, peut être effectuée pour des raisons thérapeutiques, mais aussi pour mieux se connaître et entretenir son développement personnel, comme dans mon cas.

Il n'est pas aisé d'aborder ce qu'il y a de négatif en soi et ce qui est susceptible de nous freiner. Normal : nous vivons avec depuis toujours. Mais certains traumatismes remontent précisément à la façon dont nous sommes nés. En ce sens, le « revécu » de la naissance, dans la joie, la panique ou le calme, est riche d'enseignement. Son importance est prépondérante pour le reste de notre évolution.

Toute personne qui s'interroge sur les vies antérieures et sur la persistance de nos très lointains souvenirs attend et espère une preuve. Lorsqu'on a la
possibilité de faire des expériences, tout devient clair.
Dès votre premier voyage, ce que vous aurez traversé
dans cet état de relaxation et d'éveil de la conscience
vous paraîtra évident.

Les faits sont tangibles. Vos souvenirs et vos émotions, emmagasinés depuis des millénaires, deviennent
immédiatement réels. Vous ne vous posez plus la question de savoir si la réincarnation existe : vous avez la
réponse. L'interrogation change pour devenir : «Qu'y
a-t-il encore d'enfermé depuis si longtemps à l'intérieur de ma mémoire? Quel traumatisme vécu dans
une vie passée peut expliquer le mal-être ou la douleur inexpliquée que je ressens en permanence?»

La conquête de votre être vous conduira à des
changements énormes dans la restructuration de
vous-même. Tout sera bouleversé pour être mieux
modelé. Car la réincarnation peut aider à la compréhension de son propre karma. Chacun de nous est
ainsi appelé à rejoindre sa totalité, son unité.

21

La ronde des chakras

Bien que le bulletin météo soit l'un des programmes les plus regardés à la télévision, nous ne prenons pas assez le temps de contempler la nature et de vivre au rythme des saisons. Dans ces conditions, comment peut-on s'arrêter pour découvrir les possibilités de son corps ?

Certes, on ne manquera pas de remarquer avec dépit ce vilain bourrelet autour de la taille ou l'apparition d'un peu de cellulite. Ces petits désagréments sont capables de vous casser le moral dès le matin. Pourtant, avec un peu d'effort, ils sont loin d'être insolubles.

Bien sûr, le physique « visible » est important ; mais, si l'on se donne la peine d'entrer dans le secret de notre enveloppe corporelle, on découvre tout autre chose. Nous possédons à l'intérieur de nous un véritable arbre de vie : la colonne vertébrale, qui peut à tout moment nous stopper et nous immobiliser si sa sève, la moelle épinière, est entamée. Si votre moelle épinière n'est pas sectionnée, avec beaucoup de courage et des mois de rééducation, peut-être aurez-vous le bonheur de retrouver un peu de votre autonomie. C'est là la preuve flagrante du rapport entre l'être et la nature.

Le plus fabuleux, c'est que notre arbre de vie a lui aussi ses fleurs, qui s'épanouissent à des points bien précis de notre anatomie. Pareilles à une sorte de liseron, elles fleurissent toute l'année, tout au long de notre vie, et se développent au cours du temps, s'élargissant de plus en plus en fonction de notre évolution spirituelle et personnelle. Au nombre de sept, ces fleurs sont plus connues sous le nom sanskrit de « chakras », qui signifie « roues ».

On parle souvent de la « roue du destin ». Les bouddhistes, eux, parlent de la « roue des vies et des morts ». L'historien et linguiste britannique Rhys Davids, spécialiste du bouddhisme theravāda, a traduit en ces termes le sermon par lequel Bouddha expose sa doctrine : « Il met en mouvement la roue du char royal d'un empire universel de vérité et de justice. »

Chaque chakra possède un nombre de pétales différents, ainsi qu'une couleur spécifique. Ils s'épanouissent sur un parterre entourant notre corps physique : l'aura.

Le premier et le deuxième chakras transmettent vitalité et énergie. Les troisième, quatrième et cinquième chakras affectent la personnalité et régissent les émotions. Le sixième et le septième chakras sont directement liés au spirituel et entrent en action dans notre évolution.

Ces centres de force reçoivent l'énergie en tournant sur eux-mêmes. Et chaque fleur a une tige qui prend racine dans un point bien précis de l'épine dorsale.

• Le premier, le *chakra racine*, situé à la base de la colonne vertébrale, possède quatre pétales. Il est de couleur rouge.

• Le deuxième, le *chakra de la rate*, est lumineux et possède six pétales.

• Le troisième, le *chakra ombilical*, se divise en dix pétales. Il est étroitement lié aux sentiments et aux émotions.

• Le quatrième, le *chakra du cœur*, possède douze pétales.

• Le cinquième, le *chakra de la gorge*, centre laryngé, a seize pétales.

• Le sixième, le *chakra du front*, centre frontal, est situé entre les deux sourcils. Il est plus connu sous l'appellation de «troisième œil». Chaque moitié possède quarante-huit pétales, soit quatre-vingt-seize en tout.

• Le septième, le *chakra coronal*, est le plus resplendissant de tous lorsque son activité est totale. Son nombre de pétales devrait être d'un millier environ dans le cercle extérieur. La caractéristique de ce dernier chakra est qu'il contient une autre fleur à l'intérieur de la première. Il s'éveille le dernier. De même taille que les autres, il s'agrandit au fur et à mesure de notre évolution spirituelle et peut s'étendre jusqu'à couvrir presque totalement le sommet du crâne. Hélas, la plupart d'entre nous en sont encore loin ! C'est à travers les corolles de ce chakra violet que la force divine se déverse du ciel vers l'intérieur de nous-mêmes.

Si vous avez la chance de devenir un jour un être de lumière qui distribue amour et largesses à tous ceux qui l'entourent, cette fleur se retournera et perdra sa concavité pour devenir convexe. À ce moment, le chakra ne recevra plus, il rayonnera. En Inde, chaque statue présente ce petit dôme sur la tête.

Même si la route est encore longue avant de pouvoir nous promener avec ce petit dôme, nous pouvons déjà commencer par apprendre à faire tourner ces «roues de la vie», afin de faire grandir les fleurs qui sont en nous.

Pour faire tourner au maximum vos chakras, mais aussi pour les équilibrer, de nombreuses techniques ont fait leurs preuves. Le Reiki, par exemple, est une méthode japonaise qui permet, par l'imposition des mains, de dissiper les nœuds énergétiques à l'origine de nos blocages et de reconnecter notre esprit à l'énergie universelle.

À ce stade, j'aimerais partager avec vous l'un de mes apprentissages avec une douce et jolie femme hindoue, que je connais depuis plus de quinze ans.

J'ai rencontré Jocelyne Marie Marguerite à l'île Maurice, au Royal Palm Hotel. Elle y organisait des stages de méditation et animait des séances de Reiki, une méthode que je n'avais encore jamais testée.

Imaginez son centre, le Natury : une petite maison blanche, facilement reconnaissable avec son portail aux grilles pourpres. À l'intérieur, une grande pièce vide et blanche où se détachent de jolis voiles de couleurs différentes, accrochés çà et là sur les murs, et quelques tapis posés au sol. L'atmosphère est propice à la sérénité et à la paix. La voix douce de Jocelyne fait le reste. Lumineuse, souriante, rassurante, elle vous accueille une fleur à la main. Quiconque fait sa connaissance n'a plus qu'une envie : la suivre. Pour commencer, Jocelyne m'a initiée au Reiki. Puis un jour, lors d'une conversation, nous avons parlé des chakras. Et voilà comment j'ai eu la chance de profiter de son expérience et de son enseignement. Grâce à elle, je suis capable aujourd'hui de faire tourner mes chakras avec bonheur.

Il me semblait essentiel de vous faire découvrir avec ses mots cette nouvelle manière de vous calmer, en vous donnant la chance de recharger vos énergies. Je préfère la laisser parler et partager avec vous ce qu'elle m'a enseigné. Je vous laisse donc en sa compagnie pour découvrir dans ses mains sûres ce qu'est la méditation des chakras. Bon parcours !

*

La méditation ? C'est un peu de concentration, et aussi un peu de visualisation, qui va nous permettre de nous concentrer sur des couleurs. Mais ce n'est pas tout ! La méditation est une méthode qui permet de concentrer sa pensée, de libérer tout doucement l'esprit qui est saturé dans le corps. Le but est d'évacuer les mauvaises énergies pour ramener les bonnes énergies à l'intérieur de notre corps.

À ce stade, la méditation est pour vous un moment où vous ressentez tout ce qui se passe à l'intérieur du corps.

Passons maintenant à la méditation des chakras. Tout d'abord, que sont les chakras ? Ce sont des particules de deux centimètres de diamètre qui font des rotations dans des endroits spécifiques du corps. Certaines personnes disent que l'on en possède vingt et un, d'autres seize, mais nous allons nous concentrer sur les sept chakras majeurs. Les chakras sont des points remplis de couleur et d'énergie. Chaque chakra travaille sur un organe approprié et en parallèle avec un élément. Ces éléments sont les énergies de la terre, du soleil, de l'eau, de l'air et de l'espace. Mais revenons à nos chakras.

• *Débutez par le chakra racine et le chakra sacré*

Dans la méditation, tout commence par le *chakra racine*. C'est la base. Une fois activé, il agit sur les organes génitaux et, pour la femme, sur les ovaires. Surtout, il permet d'appréhender la grande force de la terre.

Le Kundalini, ce petit serpentin qui commence à la base du coccyx, est l'énergie primordiale, le pouvoir de vie et d'amour, l'énergie sexuelle. Le chakra racine permet l'évolution de cette énergie. Il est de couleur rouge et son élément est la terre.

Ce qui est magique, c'est que chaque chakra a son secret et son mantra (ce terme, qui nous vient du sanskrit, désigne un son ou une phrase courte que l'on peut chanter). Pour le chakra racine, le mantra est « LANG ».

Le *chakra sacré* se trouve au niveau du ventre, entre le nombril et les organes génitaux. S'il est dit sacré, c'est parce que son élément est l'eau. Il est important de savoir que l'eau est sacrée car elle purifie et désaltère. N'oublions pas non plus que la vie de chaque petit homme commence dans l'eau.

Lorsque le *chakra sacré* est activé, il travaille sur l'utérus chez la femme et purifie le grand intestin, le côlon, le pancréas, mais aussi les reins. La couleur du chakra sacré est orange, son élément est l'eau et son mantra est « WANG ».

Lorsque vous avez fini de méditer, de chanter ces mantras, vous pourrez monter et méditer sur le plexus solaire.

• *Plexus solaire et chakra du cœur*

Le *chakra plexus solaire* est le centre d'énergie qui se trouve au bas des côtes. Il est situé en plein milieu, dans la partie un peu molle. Ce chakra, une fois activé, travaille à supprimer le stress et la fatigue.

Ce chakra est aussi le centre de la volonté et du pouvoir. Si vous recevez une bonne ou une mauvaise nouvelle, que se passe-t-il ? Vous sentez que quelque chose tourne. Pourtant, bonne ou mauvaise nouvelle, c'est dans votre tête. Lorsque c'est trop dans la tête, ça renvoie dans la gorge. Quand c'est trop dans la gorge, ça renvoie dans le cœur. Et quand c'est trop dans le cœur, ça renvoie dans le plexus.

Vous devez donc faire très attention car, lorsque c'est trop dans le plexus, cela peut continuer à descendre et entraîner des complications dans les intestins, dans le ventre et jusqu'à la racine.

Mais le plexus, une fois activé, même si la tête travaille, bonne nouvelle ou mauvaise nouvelle, continue à diffuser un bon circuit d'énergie dans le corps. Il travaille sur le système digestif. Vous avez pu constater que, lorsqu'on est trop stressé, le système digestif (foie, rate) est bloqué. Ce plexus va procurer de l'énergie sur les organes stressés, mais aussi dans tout le corps. Son élément est le soleil et, bien entendu, sa couleur est jaune. Son mantra est « RANG ».

Quand vous avez terminé au niveau du plexus, montez au niveau du cœur. Le *chakra du cœur* est très important dans la méditation car, étant le quatrième, il se trouve au centre physique et émotionnel du système énergétique des sept chakras majeurs. Une fois activé, il fournit de l'aide pour tous les problèmes liés au cœur, à la circulation sanguine et à l'affection des voies respiratoires. Il est le siège de l'instinct émotionnel et de l'amour sous toutes ses formes. Il est source de paix intérieure, de guérison, de beauté des sentiments, de l'amour de soi et des autres. Sa couleur est verte, son élément est l'air et son mantra est « YANG ».

• *Le cœur adoucit les sens*

Le *chakra du cœur* est le siège de la sensibilité, qui passe par nos cinq sens. Par le toucher d'abord, plus doux et qui devient amour quand ce chakra est activé, car c'est le cœur qui parle.

Comme vous le savez, l'abondance de la terre, c'est le travail, et le travail dépend de nos mains, lesquelles deviennent beaucoup plus fructueuses puisque c'est le cœur qui parle. On profitera de cette abondance car la main est sacrée, nous devons en être conscients.

Un autre sens : l'oreille. Vous vous demandez : « À quoi peut-elle bien servir pour la méditation ? » Parfois à entendre crier, quand on se met en colère.

Lorsque le *chakra du cœur* est activé, on dit plus simplement: «Merci! J'entends!» Et l'on ne retient que la douceur des bruits. Dans la méditation, le silence est très important car le silence, c'est la prière. Le silence, c'est se connecter à ce que l'on aime. L'ouïe est un sens primordial. Lorsque le *chakra du cœur* est activé, il se produit une grande transformation. Dans le silence, on obtient souvent la réponse à notre question. Dans le silence, nous entendrons le chant des oiseaux, le souffle du vent, le bruit de l'eau, qui nous aideront à nous apaiser.

Passons à la bouche. Par moments, elle dit des choses inappropriées, mais, quand le cœur est activé, les paroles deviennent des paroles de bénédiction. Dans ces paroles, il y a un sens, bon ou mauvais. Vous constaterez parfois que ce sens s'est vérifié, que les prédictions que vous avez pu faire à telle ou telle personne se sont avérées. Faites donc très attention à vos paroles, car elles deviendront douces et sacrées.

Passons à l'odorat. À quoi sert-il dans la méditation? demanderez-vous. Il arrive que l'on se dise: «Je ne sens pas ce lieu. Je ne sens pas cette personne.» C'est alors que vous pouvez donner une bonne vibration, car ce sens travaille une chose très importante pour le développement du corps et de l'être humain: l'intuition.

Terminons par les yeux. Quelquefois, la vue est faussée et l'on ne remarque bien souvent chez autrui que le négatif. Prenez l'orgueil: lorsqu'il prend l'avantage, l'être humain qui n'est pas en face de vous occupe toute la place, il habite en vous et vous empêche de vivre.

Le *chakra du cœur* permet notre évolution et celle de l'humanité. Lorsqu'il est activé, on peut voir la petite parcelle qui est positive. Ainsi, pas de haine, pas de rancune, pas d'orgueil! Nous voyons tout ce qui est favorable pour nous. Il sera donc très agréable de partager.

Dans presque toutes les religions, il est dit: «Aime ton prochain comme toi-même.» On ne peut pas aimer les autres sans s'aimer soi-même. La méditation doit nous permettre de nous aimer nous-mêmes. Avec ce que nous possédons, cette abondance, cet amour au fond de nous, nous en aurons assez pour le partager. Voilà aussi pourquoi le *chakra du cœur* est si important.

• *Le chakra de la gorge*

Lorsque vous aurez fini de méditer sur la couleur verte du *chakra du cœur*, montez au niveau de la gorge. La couleur du *chakra de la gorge* est bleue, son élément est l'espace, son mantra est «HANG».

À partir de la gorge, tout ce qui monte est l'espace. Le *chakra de la gorge* est important car, en chantant son mantra, il vous permettra de nettoyer tout blocage. Car lorsque la gorge est bloquée, que se passe-t-il? Lorsque nous avons trop de pensées en tête, le traumatisme du passé domine tout, ce qui provoque une dilatation des deux points de la thyroïde que sont les parathyroïdes, avec pour conséquence une infection de la thyroïde.

Ce chakra permet de progresser au niveau de la gorge et de désinfecter la thyroïde. Il travaille sur le traumatisme du passé, sur la gorge et sur la voix elle-même, en évacuant toute tension.

• *Le chakra frontal*

Montez ensuite au niveau du front. Le *chakra frontal*, une fois activé, harmonise les deux hémisphères du cerveau. Il atténue tout ce qui est balancement de la tête. Il travaille aussi sur la mémoire, la concentration, l'intelligence, l'intuition et la télépathie.

C'est ce chakra qui ramène la paix dans l'esprit et la paix autour de nous, car son mantra est « OM ». En chantant cet « Om », vous pouvez renvoyer de l'énergie à ceux qui vous sont chers, à ceux que vous aimez, ainsi qu'à ceux qui ont besoin de cette énergie.

Sa couleur est indigo (un fuchsia mêlé de rose et de bleu). Lorsque ce chakra est activé, il supprime les migraines, les maux de tête, le blocage des sinus, améliore la mémoire et la concentration.

• *Le chakra couronne*

Ce septième chakra correspond à la couronne d'énergie qui se forme au sommet du crâne. Il concerne le cerveau, plus exactement la glande pinéale et la glande épiphyse, où sont sécrétées les hormones régulatrices de notre humeur. C'est aussi le siège du plus haut niveau de conscience de l'être humain. En l'activant, vous allez libérer votre esprit, le vider pour qu'il se charge de bonne énergie.

Pour l'activer, vous devez visualiser la couleur violette. Son élément est la lumière intérieure, ou lumière blanche.

• *Créer un cercle d'énergie*

Dans la méditation des chakras, il y a un « bonus », si l'on peut dire.

Lorsque vous êtes dans la couronne, il est très important de retourner dans le corps ; sinon, vous risquez de vous sentir un peu lourd dans l'air, dans l'espace. Il est donc important de se reconnecter à la terre, à la couleur rouge. Vérifiez que votre coccyx est bien connecté dans le sol avant d'ouvrir les yeux. Dans votre méditation, la colonne vertébrale doit être libérée car tout passe par elle.

Le bonus de la méditation consiste, alors que vous êtes bien reconnecté avec la terre, à prendre une respiration et à la sentir passer, monter au-dessus du crâne, puis redescendre par la colonne vertébrale jusqu'au niveau du coccyx qui vous reconnecte à la terre, et enfin repasser par-devant. Ainsi, vous allez créer un cercle d'énergie autour de vous. Ce cercle peut être vertical ou horizontal : c'est l'orbite.

Pendant la méditation, gardez autant que possible les yeux fermés, pour être en connexion avec l'intérieur de votre corps. En conservant les yeux fermés, bougez maintenant la tête de chaque côté. Soyez conscient de votre corps, bougez les épaules, les bras et les mains, doucement, avant d'ouvrir les yeux. Voilà ce qu'est votre « bonus » de méditation.

*

Il faut apprendre à être maître de sa méditation. Ce qui signifie que si vous entendez un bruit – quelqu'un qui frappe à la porte ou qui vous appelle –, prenez quelques instants avant de répondre. Vous devez rester bien connecté au sol et sentir que le Kundalini est bien connecté avec la terre avant d'ouvrir les yeux. Sinon, vous vous sentirez flotter un peu dans l'espace. Observer ce court laps de temps pour reprendre contact avec la terre reste le meilleur moyen de sortir en paix de sa méditation.

Pour méditer, il faut commencer par être capable de visualiser, nommer et placer chaque couleur représentant un point précis d'énergie : le *chakra du cœur*, vert ; le *chakra racine*, rouge, etc. Une fois que vous les connaissez tous par cœur, que vous êtes capable de les énoncer dans l'ordre ou dans le désordre en associant immédiatement la couleur qui lui correspond, vous pourrez commencer à vous accoutumer à eux.

Le matin au réveil, tranquillement allongé après une bonne nuit de sommeil, ou le soir avant de vous endormir, visualisez vos chakras dans l'ordre en commençant toujours par le *chakra racine*. Très important : toujours dans le sens des aiguilles d'une montre !

Vous pouvez vous aider aussi de votre main, les doigts serrés formant une pointe, en la faisant tourner au-dessus de la roue choisie. Vous devriez sentir un bien-être et, derrière vos yeux clos, voir la couleur briller et tourner. Il vous suffira de pratiquer de la même façon sur tous vos chakras pour vous sentir en pleine forme. C'est un bon commencement pour vous accoutumer à vos centres d'énergie.

Après plusieurs semaines d'entraînement, vous découvrirez qu'il suffit de vous brancher sur une de ces roues pour lui redonner un petit coup de pouce. Croyez-moi, avant certains rendez-vous stressants, c'est bien utile !

Maintenant que vous êtes devenu un ou une spécialiste, il est temps de passer aux choses sérieuses. Vous retrouverez sur mon site Sheilahome.com et sur le CD de mon livre *Les Bonheurs de l'exercice*[1], si vous le souhaitez, une méditation de la voix même de Jocelyne. Vous êtes avec un maître qui va vous guider. En l'écoutant, vous disposerez des bons sons et de la bonne prononciation pour les utiliser. Jocelyne vous dispensera un enseignement parfait. Suivez-la, répétez après elle. Il vous suffira alors de fermer les yeux et de visualiser la couleur du chakra à la bonne place (que vous connaissez maintenant par cœur !).

Vous avez maintenant toutes les clés en main pour être au top ! Il ne me reste qu'à vous souhaiter une bonne méditation. Je vous recommanderai néanmoins de continuer régulièrement cette pratique, en commençant toujours par le *chakra racine* pour finir à la couronne, comme expliqué ci-dessus. Vous deviendrez un petit arc-en-ciel à vous tout seul ! Ce qui est certain, c'est qu'avec de l'entraînement vous n'aurez même plus besoin de le faire matin et soir : un petit coin tranquille, assis sur une chaise, sera très suffisant. Très efficace dans les moments de stress ou de grosse fatigue !

Attention : ne brûlez pas les étapes et respectez bien l'ordre indiqué ; si vous mélangez tout,

---

1. En vente uniquement sur s-creations.com

vous risquez l'effet inverse. Chanter les mantras des chakras exige une certaine pratique, aussi n'oubliez jamais : on gagne du temps en prenant son temps !

22

L'art de bien s'alimenter

Il n'y a pas de secret : la forme et la bonne humeur passent par une vie saine, une bonne hygiène physique, un sommeil réparateur et une alimentation équilibrée.

Bien se nourrir, c'est à la fois savoir choisir de bons aliments et respecter quelques principes simples et de bon sens. Avant de se mettre à table, il convient de trouver le calme – ce qui n'est pas toujours simple, surtout chez moi, mon chien ne supportant pas de me voir assise ! Respirez profondément avec le diaphragme, puis buvez un grand verre d'eau pour diminuer l'appétit, additionné d'un jus de citron frais si vous aimez le citron : je vous le conseille car c'est un excellent désintoxicant.

Tenez-vous éloigné des sources de distraction habituelles : téléphone, ordinateur, etc. Aujourd'hui, tout le monde mange en consultant ses textos ou en envoyant des mails. Et nous avons tous vu au restaurant des couples en tête à tête qui ne se regardent même plus et qui mangent en pianotant, le nez rivé sur leur écran. Quant aux enfants, ils ont tout juste le temps d'avaler une bouchée entre deux combats sur leur tablette! Si nous ne sommes plus capables de nous regarder et de converser en partageant le plaisir d'un repas, permettez-moi de trouver cela triste, très triste. Et tant pis si je vous parais ridiculement vieux jeu!

Le repas, pourtant, est le moment idéal pour faire usage d'au moins trois de nos cinq sens. D'abord l'odorat, en profitant des saveurs parfumées de notre plat. Ensuite, la vue des jolies couleurs de vos légumes grillés. Enfin le goût, bien entendu. Dans ces moments-là, je suis souvent comme le grand méchant loup: à la seule idée du plaisir de savourer, je salive!

Une fois à table, il convient de manger lentement, afin d'améliorer la digestion et de diminuer la sensation de faim. Prenons le temps de garder en bouche chaque morceau avant de le mastiquer. La mastication facilite la digestion et accentue le sentiment de satiété. Après chaque morceau, évitez de garder votre fourchette en main et posez-la. C'est un réflexe qui peut vous aider à modifier vos habitudes. Et ça marche!

Fille d'un ancien boucher, j'ai grandi en mangeant de la viande midi et soir, une bonne viande rouge bien de chez nous, trop souvent remplacée aujourd'hui par du veau aux hormones d'origine incertaine. Ah! les bons biftecks de ma maman, les rosbifs saignants sur un bon jus, idéal pour remplir le puits creusé dans l'assiette de purée! Aujourd'hui encore, j'en ai l'eau à la bouche.

Pourtant, les habitudes changent, les besoins évoluent. Même si je regretterai toute ma vie le goût irremplaçable de mon plat fétiche, je suis passée à autre chose. Un seul exemple : un nouveau-né a besoin de lait pour se nourrir et grandir, mais un adulte qui continue à boire trop de lait se charge de toxines et ne comprend pas pourquoi ses articulations le font souffrir de temps à autre. Nous prenons déjà du lait régulièrement – dans les gâteaux, les yaourts, certains de nos plats ; un verre de lait le matin ne fait que surcharger l'organisme. Nous n'avons plus besoin de grandir, mais, bien au contraire, d'aider notre corps à moins se fatiguer. Les digestions lourdes nous empêchent de dormir le soir et favorisent les cauchemars, ou nous procurent des somnolences après un déjeuner bien arrosé.

Je ne vous empêche pas de faire la fête ! Je suis la première à aimer m'asseoir à table avec des amis devant un bon repas. Mais mieux vaut manger une fois par semaine une bonne viande rouge élevée dans nos champs que, tous les deux jours, des steaks industriels cancérigènes, qui n'ont plus le goût de rien. Sachez faire la fête, c'est important, mais sachez aussi profiter de ces instants sans en abuser, car ils vous trahissent en usant vos organes par un travail intense que vous paierez tôt ou tard : crise de foie, urée, cholestérol, migraine et *tutti quanti*.

En conclusion : oui au sport, oui aux étirements, mais la façon de manger reste le meilleur moyen de vous sentir bien dans vos baskets.

Je vous sens impatients de connaître mes solutions. Ne vous tarabustez plus : je vais maintenant vous dévoiler tous mes trucs, fruit d'années et d'années de pratique et de tâtonnements, et tenter de vous donner quelques clés d'une vie saine... en tout cas de la mienne!

Vous n'êtes pas sans savoir que la vie est faite de rencontres. Dans les années 1990, j'avais décidé de marquer un arrêt dans ma carrière de chanteuse. J'avais besoin de recul. Je me suis alors lancée dans de nouvelles activités : écriture et sculpture. J'ai passé neuf années à assimiler le nouvel enseignement de vie que j'avais désiré, sans en saisir vraiment toutes les conséquences. Optimiste un jour, optimiste toujours!

Seulement voilà, le lien d'énergie avec les gens, avec mes proches, avec la chanson et par-dessus tout avec la scène me manquait. Ce manque eut raison de ma décision, prise dans un moment de grande lassitude. Je devais faire marche arrière.

Mon projet était concret : un nouveau spectacle se profilait à l'horizon. Mais, en route, j'avais quelque peu oublié de veiller à ma forme physique.

Voici comment, lors d'une discussion entre amis au cours d'un déjeuner, sur les conseils avisés d'un ami footballeur, j'ai entendu parler d'Henri Chenot, connu et reconnu pour l'efficacité de sa méthode. Tous les sportifs vantent sa technique, qui a fait ses preuves et continue de le faire.

Je vous invite à lire son livre, *Dynamisez votre capital santé par la biontologie*[1]. Oubliez les cures d'amaigrissement! Ici, on soigne l'intérieur, on libère son corps des toxines accumulées par une mauvaise

---

1. Presses de la Renaissance, 2007.

nutrition, par le stress de nos vies où l'on passe son temps à courir, où l'on cache ses angoisses en les accumulant dans le silence. Cet apprentissage vous aide à avancer dans le temps et allège la fatigue journalière de vos organes. Je suis devenue une adepte de sa méthode et je ne vous dirai qu'une seule chose : c'est génial… et ça marche !

Il est capital de bien choisir sa façon de vivre. Le corps est l'élément essentiel, il est donc indispensable de le ménager pour traverser toutes les étapes. Il ne s'agit pas de transformer chacun d'entre vous en diététicien, mais de respecter simplement quelques principes simples.

Prenons l'exemple de l'indice glycémique, qui permet la classification des aliments en tenant compte du taux de sucre dans le sang. Les glucides sont indispensables à notre organisme, puisqu'ils fournissent le carburant utilisé par tout notre corps. Pourtant, soumis à une trop forte dose de glucides, votre organisme les stockera sous forme de graisse, favorisant la prise de poids et dégradant l'état général de votre santé.

Plus l'indice glycémique est élevé, plus la vitesse de diffusion du sucre dans le sang est rapide. La source d'énergie procurée augmente rapidement et disparaît aussi vite, entraînant une sensation de faim. C'est le cas d'aliments tels que le riz blanc, les pommes de terre, le pain blanc, les céréales soufflées, les pizzas, le sucre et certains fruits (raisin, melon, figue…).

Mon astuce : en cas de coup de mou, une banane sera la bienvenue pour vous redonner en quelques minutes l'énergie nécessaire pour terminer un travail inachevé; en revanche, elle ne vous permettra pas de tenir jusqu'au soir !

À l'inverse, plus l'indice glycémique est bas, plus la vitesse de diffusion du sucre dans le sang est progressive. La source d'énergie est distribuée plus lentement, mieux répartie dans le temps, et accélère le sentiment de satiété. C'est le cas du riz basmati, des pâtes complètes (*al dente*), du boulgour complet, du quinoa, de tous les légumes (crus ou cuits) et de fruits tels que la pomme, la poire, le kiwi, la mangue, les fruits rouges, les noix, les noisettes, les amandes...

Voilà pourquoi les sportifs de haut niveau avalent des bassines de pâtes complètes! En ce qui me concerne, je n'assure jamais un spectacle sans avoir avalé des spaghettis de quinoa ou des pâtes complètes *al dente* deux heures à deux heures et demie avant de chanter. Pour optimiser ses performances physiques et intellectuelles et limiter les problèmes cardio-vasculaires, il est donc conseillé de consommer de préférence des aliments dont l'indice glycémique est bas.

Attention: je n'ai pas la prétention d'avoir découvert le « régime Sheila »! Je veux simplement partager avec vous quelques-unes de mes habitudes alimentaires et vous suggérer quelques menus standard, susceptibles de vous inspirer.

Au petit-déjeuner

Choisissez un bon fruit, si possible de saison, ou une salade de fruits (200 g). Vous pouvez préférer des pruneaux, de la papaye mûre, des kiwis ou une compote de pommes. Vous avez le choix entre du müesli simple, avec fruits secs ou graines (tournesol, sésame, pavot...), ou du pain 100 % farine complète (épeautre, sarrasin...) accompagné de confiture sans sucre ajouté, d'une compote de fruits ou de miel. Le tout arrosé de thé vert ou blanc, de thé rooibos, de tisane au gingembre ou encore de café d'orge.

La petite faim de 11 heures

Prenez du thé aux herbes et absorbez quelques vitamines en mangeant un fruit frais. Mon conseil : préférez une pomme, car elle tient bien à l'estomac, ou mieux encore quelques fruits secs, par exemple cinq ou six amandes ou deux ou trois noix ou noisettes. Ai-je besoin d'ajouter : sans sel ?

Pensez toujours à boire de l'eau plate, au minimum un litre et demi dans la journée.

Au déjeuner

N'oubliez pas : il est important de démarrer chaque repas en buvant un grand verre d'eau.

Si vous voulez manger des fruits, faites-le toujours en début de repas. Un petit mélange artistement composé d'une tranche de melon agrémentée de deux lichettes de pomme, d'une jolie fraise coupée en deux et décorée de trois myrtilles, c'est joli, non ? Ce n'est qu'une idée, à vous de créer votre assiette !

Commencez toujours le repas proprement dit avec des légumes que vous pourrez assaisonner de graines de toutes sortes (amandes, noix, graines germées…). Crudités à volonté! Mélangez les variétés, c'est encore meilleur. Si vous êtes puriste, le mieux est de préparer des pâtes (complètes) aux légumes, à la sauce tomate ou au pesto (70 g de pâtes avant cuisson), pâtes de kamut ou quinoa, mais *al dente*: car n'oubliez pas que les pâtes trop cuites ne procurent plus aucune énergie. Ajoutez, selon votre goût, de la sauce tomate ou du basilic, quelques légumes grillés… Hmm! je sens que ça va être très bon!

On peut aussi préférer une salade de quinoa ou de riz avec des légumes, pourquoi pas? Du couscous complet, des graines de sarrasin, peut-être du maïs, du boulgour… Comme vous le voyez, le choix est vaste! Et hop! on ajoute toujours des petits légumes…

On peut également mélanger les céréales avec des herbes fraîches (persil, coriandre, ciboulette…). Une salade de légumes mélangés avec des haricots, des pois chiches ou des fèves, une salade agrémentée de boulettes végétales ou de tofu grillé…

Au début surtout, il faut varier souvent ses menus. Sinon, les gros mangeurs, les bons vivants amateurs de bonne chère auront un peu l'impression de se sentir brimés, frustrés, avec la sensation de suivre un régime strict. Et je sais de quoi je parle! Je peux comprendre que le tofu ne fasse pas rêver, surtout lorsqu'on vient de dévorer un demi-saucisson pur porc dans une baguette fraîche!

Trois ou quatre fois par semaine, pas plus, ne vous interdisez pas de manger du poulet fermier grillé.

Une bonne viande blanche accompagnée de légumes est même conseillée. Rôti, c'est encore meilleur. Bien entendu, ne vous ruez pas sur la peau : même si elle est très croustillante, laissez-la de côté. Pour les protéines, vous pouvez opter pour la viande, de 120 à 150 grammes, deux à trois fois par semaine. Et pour varier les plaisirs, accordez-vous du poisson grillé, avec des légumes ou de la salade. Le poisson est idéal pour la santé : vous pouvez en consommer trois fois par semaine, de 150 à 180 grammes, grillé, à la vapeur ou au four. Une fois par semaine tout au plus, ne vous interdisez pas 100 à 120 grammes de viande rouge et deux œufs.

On peut aussi manger, une fois par semaine, du fromage de chèvre ou de brebis. Évitez d'en manger le soir, c'est meilleur le matin.

Pour tout le repas, en accompagnement des salades, les condiments se composent dans l'idéal d'une ou deux cuillères à soupe d'huile d'olive vierge pression à froid (ou d'huile de lin, de tournesol ou de soja), de sel marin (ou fleur de sel), de jus de citron ou de vinaigre de cidre. Ajoutez au choix herbes fraîches, ail ou oignons.

Les possibilités sont donc nombreuses. Laissez simplement le temps à vos papilles de s'accoutumer à leur nouveau régime et, croyez-moi, le bonheur s'invitera très vite à votre table !

Le petit en-cas de 16 heures

L'après-midi, un bon fruit de saison ou une compote fera l'affaire, à manger au plus tard à 17 heures.

Au dîner

Des légumes, encore et toujours de bons légumes, cuits, sautés, grillés, à la vapeur ou, mieux encore, en soupe ! J'ai la chance d'avoir chez moi une spécialiste de la soupe, je dirai même du velouté de légumes. Je ne demande rien : elle crée et prépare des mélanges joyeux avec ce qu'il y a dans le frigo. Vive Lina ! Mais ce que j'adore par-dessus tout est ce que j'appelle la « soupe verte » : épinards, courgette, persil, une branche de céleri, un poireau, un petit oignon, une petite carotte, de la ciboulette. On peut remplacer les épinards par un jeune chou du Portugal. Pour moi, c'est sans sel, mais bien poivré. Un vrai régal... et bon appétit à tous !

*

Pour aller jusqu'au bout de l'aventure, il est aussi recommandé de faire, une fois par mois pendant trois jours, ou après un grand dîner, ce que l'on appelle une diète de désintoxication. C'est excellent pour accorder un peu de repos à votre corps, l'aider à se régulariser tout en éliminant les toxines accumulées. Je ne vous jurerai pas que je m'y tiens ! C'est pourtant très facile. J'ai constaté qu'on en prend très vite l'habitude et que ça fait du bien : on se sent léger comme une plume. Bien entendu, c'est à vous de voir. Mais, comme dit le proverbe : « L'essayer, c'est l'adopter. »

Diète de désintoxication

AU PETIT-DÉJEUNER :
– deux fruits de saison ou une salade de fruits (250 g) ;
– thé vert ou tisane (par ex., Diurétique plus).

AU DÉJEUNER :
– un fruit de saison, des crudités ou une salade mélangée (assaisonnement : huile d'olive, jus de citron et herbes fraîches) ;
– riz complet ou basmati (50 g cru) et huile d'olive.

L'APRÈS-MIDI :
– en guise d'en-cas frais et sain : un fruit de saison accompagné d'une tisane aux herbes (par ex., Liver Health).

AU DÎNER :
– de bons légumes, cuits à la vapeur ou grillés, avec de l'huile d'olive et des herbes fraîches ;
– riz complet ou basmati (50 g cru) ;
– tisane aux herbes (par ex., Daily Detox).

IMPORTANT : pendant les deux ou trois jours détox, ne mangez pas de produits laitiers. Proscrivez tous les fromages, ainsi que la viande et les œufs, le sel et le vinaigre, le sucre, le miel, l'aspartame, le café et les jus de fruits.

23

Le corps, un ami à ménager

On ne le répétera jamais assez : une bonne forme passe par l'activité physique. Pratiquer un sport, ne serait-ce qu'une demi-heure de marche par jour, monter les escaliers au lieu de prendre l'ascenseur, descendre du métro une station avant sa destination contribuent au bien-être du corps. Évidemment, certains d'entre vous, du fait de leur profession ou parce qu'ils ont pratiqué une discipline artistique dès leur plus jeune âge, par exemple la danse, sont plus avantagés que d'autres. D'une part, ils ont de l'entraînement ; d'autre part, ils ont appris très tôt à prendre soin de leur corps. Et Dieu sait que ce n'est pas facile !

Quand on est jeune, tout roule, on n'a mal nulle part. Il n'empêche que vos blessures de jeunesse resteront tout au long de votre vie des points de faiblesse. Il est essentiel de ne pas les négliger, ni de minimiser les blessures des jeunes enfants ou des jeunes adultes. Si l'on ne peut les éviter, il faut apprendre à faire avec et, dans la mesure du possible, à surmonter l'obstacle.

Je parle en connaissance de cause. Pour moi, tout a commencé par le pied gauche, que je me suis bêtement cassé en descendant un escalier après une séance photo pour *Salut les copains*. Par la suite, mon genou gauche s'est déboîté en faisant des claquettes pour la chanson «Oncle Jo», ce qui m'a valu plusieurs semaines d'arrêt, suivies d'une rééducation. Le même genou a mal résisté à un numéro de judo pour la chanson «L'Agent secret». Même programme: souffrance, peur et mal de chien avec la rééducation. Pour parfaire le tout, lors de mon Olympia 1998, un dérapage sur la scène mouillée par la sueur, le premier jour de représentation, s'est soldé par un étirement des ligaments internes. Verdict: un léger épanchement de synovie. J'ai terminé les douze jours restants sous infiltration, entre poche de glace et strapping. Un spécialiste, voyant l'état de mon articulation, m'a confirmé son diagnostic:

— La danse, c'est terminé pour vous! Votre genou n'y résisterait pas.

Pour un choc, ce fut un choc. Et pourtant... dix-sept ans plus tard, je danse toujours! Mais ce genou reste mon gros problème. Il m'a obligée à travailler différemment. Par sécurité, lorsque je me sens fatiguée ou s'il risque de pleuvoir sur les scènes en extérieur, je strappe mon genou. Grâce à ce travail préventif, au développement de la musculation spécifique que je fais pour pallier les faiblesses de mes ligaments croisés, j'ai l'immense bonheur de pouvoir continuer à danser.

Soyez donc certains que, lorsque le cerveau se refuse à cesser de pratiquer une activité que l'on aimait, on peut toujours trouver une solution et y arriver.

Je vous dois la vérité : toute cette expérience ne m'est pas venue d'un coup. Mon tempérament y est pour beaucoup, mais je ne serais pas comme ça sans l'éducation et les individus que j'ai eu la chance de rencontrer dans ma vie. Chacun dans sa spécialité m'a aidée à devenir la personne que je suis aujourd'hui. Je commencerai par Marcelle Dazy, mon premier professeur de danse classique. Je n'oublierai jamais cette petite femme blonde, armée de son bâton, qui frappait le sol pour soutenir le tempo de notre vieille pianiste, laquelle avait tendance à s'endormir sur son clavier. Toujours pleine d'allégresse, elle entraînait d'une main de fer, de sa voix aiguë et fluette, ces petites filles qui rêvaient toutes de devenir la nouvelle étoile de l'Opéra de Paris.

Marcelle Dazy m'a inculqué la rigueur, l'entêtement, la recherche constante du mieux faire. Par-dessus tout, elle m'a appris à dompter et à accepter la douleur physique que supportent tous les danseurs pendant et après les entraînements.

Peut-être m'a-t-elle aussi fait prendre conscience du bonheur d'être sur scène, puisque c'est auprès d'elle que j'ai fait mes premières prestations de petite fille dans des spectacles de fin d'année, puis, en grandissant, sur les planches des cinémas, pendant l'entracte, les dimanches après-midi. Comme quoi tous les chemins mènent à Rome !

Quelques années plus tard, devenue chanteuse, ce travail, commencé lorsque j'étais très jeune, m'a ouvert une route spécifique, puisque je dansais déjà pour ma première télévision. Il m'a donné la possibilité d'avoir une chorégraphie différente pour chaque chanson, de graver dans la mémoire des gens de petits films où le costume, la mélodie et les pas étaient coordonnés.

Dès lors, toutes les portes se sont ouvertes à cette gamine à couettes qui chantait et dansait. Dès le départ, le public a aimé mon énergie. Les producteurs de télé ont très vite compris qu'ils pouvaient m'utiliser avec toutes sortes de danseurs et de chorégraphes aux styles différents.

Je peux citer Arthur Plasschaert, ce grand blond sans chaussure noire qui a beaucoup travaillé pour les shows télévisés de Maritie et Gilbert Carpentier. Il m'a légué, entre autres, la chorégraphie, bien ficelée pour l'époque, de «L'Heure de la sortie», un numéro à l'américaine sur le duo *Daisy*, que j'ai interprété avec Annie Cordy, autre danseuse s'il en est!

Je citerai aussi Johnny Mary, qui a commencé avec moi en tant que danseur sur «Le Folklore américain», pour devenir mon prof et partenaire de claquettes dans «Oncle Jo». Je ne pourrais pas énumérer le nombre de chansons sur lesquelles nous avons dansé ensemble!

24

La danse, source d'énergie

Dans la vie, vivre une passion qui vous tient à cœur est une grande chance. Inutile de chercher à gravir les sommets : chacun peut trouver la voie qui lui convient en s'accordant le plaisir d'une simple promenade, quotidienne si possible, dans la campagne ou dans un parc.

Je l'ai déjà dit, ma première passion, chevillée au corps, c'est la danse. Toutes mes chansons étant chorégraphiées, j'ai croisé un nombre incalculable de danseurs avec qui j'ai partagé de beaux moments. C'est dire la joie que m'a procurée ma collaboration avec le premier danseur de l'Opéra, Michel Bruel, dans un pas de deux très acrobatique pour un « Grand Échiquier », la célèbre émission télévisée de Jacques Chancel.

Les époques et les styles changent à une vitesse folle. À la fin des années 1970 s'est annoncé le disco, qui m'a permis de prendre un virage tout à fait inattendu. Ce nouveau tournant est arrivé sans prévenir. Presque par hasard, dans le bureau de mon manager de l'époque, j'avais entendu la musique de «Love Me Baby». Immédiatement, j'ai pensé qu'elle était faite pour moi, que je pouvais chanter et danser sur cette chanson. C'était un sacré défi car personne ne m'attendait dans ce registre. Comme d'habitude, j'ai foncé.

Prise au piège par ce nouveau tempo, je rêvais d'un groupe dont l'énergie et la façon de bouger seraient nouvelles. Nous avons organisé une grosse audition pour recruter des garçons capables de chanter et de danser, dotés de personnalités bien à eux. Et nous les avons trouvés. Freddy, mon compagnon de rigolade, beau danseur classique, puriste, toujours doux, possédait la meilleure technique. Arthur, l'exubérant New-Yorkais, tout sourire, ne ratait jamais une occasion d'ajouter un bras dans les chorégraphies. Enfin Dany, le Jamaïcain, n'était pas bavard. Plutôt solitaire, musique greffée sur les oreilles, caractère bien trempé, il fut le plus difficile d'approche... et devint pourtant le leader de la bande. Un chorégraphe anglais réputé, Barry Collins, créa le style de la chanson. Sa grande réplique, entre chaque passage bien réglé, était: «Free!» Chacun pouvait alors, livré à lui-même, danser à sa façon, en se laissant aller.

Cette nouvelle manière de bouger, tellement libre, nous donnait un style qui fit notre réputation. La «reine française du disco» était née. Toutes les générations ont dansé sur cette chanson. Je pense que la force positive que dégageait cette musique m'a fait évoluer. J'ai appris à danser en utilisant les énergies. Évidemment, ça ne s'est pas fait tout seul. Il y a l'envie, mais aussi tout le travail pour y parvenir. Et nous avions beaucoup répété.

Voilà comment, après des années de confiance mutuelle, est née la fameuse chorégraphie de «Spacer». Freddy imposa les bâtons, Dany, les pas si reconnaissables, et moi, les combinaisons argentées – qui sont toujours dans mes placards! De scènes internationales en plateaux télé, de pays en pays, nous finissions même par partager nos vacances. Je ne garde de cette période que de merveilleux moments de vie et de fous rires avec eux.

Les années ont passé et je continue à danser sur ces chansons. Presque quarante ans plus tard, vous êtes toujours aussi nombreux à me demander:

— Sheila, vas-tu danser ce soir? On rêve de te voir encore et toujours danser!

Je ne vous apprendrai rien en vous disant que je suis une travailleuse acharnée. En dehors des pas pour la scène, je voulais me perfectionner encore, aller toujours plus haut, plus loin.

À New York, comme je cherchais les cours de danse en vogue, je suis entrée chez Frank Hatchett, qui donnait des cours de *jazz dance* fort prisés. J'ai dû reprendre à zéro tout le travail accumulé pendant des années. Face au niveau des professionnels qui suivaient le cours, j'ai dû me rendre à l'évidence: j'avais encore beaucoup à apprendre! Raison de plus pour mettre les bouchées doubles.

En 1984, j'ai également eu le plaisir de partager un pas de deux avec Michael Denard, merveilleux danseur, sur la musique de *Carmen*: une riche idée d'Yves, mon producteur, qui avait savamment mélangé ce classique avec ma chanson «Tangue au». Quel magnifique partenaire, quelle prestance!

Michael Denard, n'a pas été premier danseur de l'Opéra de Paris par hasard!

Je n'oublie pas Mia Frye et son exubérance. Ma collaboration avec cette femme de tous les excès m'a enchantée. Surtout, Mia m'a permis de rencontrer, en 1996, celui que je surnomme depuis toujours «Jean-Fi»: Jean-Philippe Belmat, mon chorégraphe. Malgré des débuts qui s'annonçaient un peu compliqués à cause de malentendus ridicules, Jean-Fi reste à ce jour celui qui m'a accompagnée le plus longtemps. Il est le créateur des ballets de mes spectacles, en 2002 pour mes quarante ans de carrière à l'Olympia, celui du Cabaret Sauvage en 2006, enfin l'Olympia pour mes cinquante ans de carrière en 2012.

Jean-Fi est toujours là! Il est mon indispensable, celui qui me trouve toujours une solution, qui s'inquiète pour moi et pour ma santé. L'ami des fous rires, des angoisses et des retards aux rendez-vous, celui aussi qui oublie toujours quelque chose quelque part, qui part pour l'étranger avec un passeport périmé, mais sans qui mes prestations sur scène seraient différentes. Nos spectacles sont la résultante de tout cela.

Je l'adore et n'imagine pas un spectacle sans lui. Nous avons vécu et traversé tant de choses tous les deux! Il est mon porte-bonheur. Sa fidélité n'a d'égale que l'affection que je lui porte.

25

Prudence et concentration

L'entraînement physique reste la clé de voûte pour être capable de tenir au moins deux heures en scène. Hormis le plaisir que ce travail me procure, c'est grâce à une routine sans faille que je peux encore aujourd'hui chanter et danser sans play-back. Plusieurs entraîneurs m'ont permis d'obtenir des muscles dessinés, un souffle régulier, un dos et des abdos très solides. Ils n'ont jamais écouté mes jérémiades. J'ai eu beau râler, m'énerver, leur en vouloir, ils sont restés de marbre. Je les en remercie aujourd'hui.

Rien ne vous oblige à suivre mon rythme, mais j'aimerais que vous puissiez, vous aussi, être bien dans votre corps, donc bien dans votre tête. J'aimerais vous persuader que l'âge n'a rien à voir avec le fait de se sentir bien dans sa peau. C'est une décision qui ne dépend que de vous. C'est votre choix !

J'aimerais tant vous croiser encore dans quelques années et vous entendre me dire :

— Sheila, j'ai commencé des échauffements, je fais du sport et je me sens beaucoup mieux ! Tous mes amis me disent que je rajeunis. J'ai changé, je me sens mieux… et qu'est-ce que je m'amuse! J'ai fait plein de nouvelles connaissances.

J'espère avoir le plaisir de vous voir bien dans vos baskets! Mais n'oubliez pas d'être prudents : rien ne sert de vouloir outrepasser ses forces.

Bien entendu, nul n'est à l'abri de l'accident stupide. Il survient très souvent dans un moment de liesse, lorsque la joie ou l'insouciance de l'instant vous fait oublier l'essentiel : la prudence et la concentration.

Mon dernier accident s'est produit en 2010, à la fin d'une tournée qui avait duré quatre mois, à raison de deux spectacles par jour. Le soir de la dernière, les surprises sont de rigueur et s'enchaînent à une rapidité folle. Par respect de la tradition, j'avais décidé de faire une surprise à Catherine Lara. Je l'avais rejointe sur scène au milieu du couplet, pour chanter une fois encore «La Rockeuse de diamants», comme dans l'émission des Carpentier. Du bonheur en barre! Elle venait de quitter la scène sous des tonnerres d'applaudissements. C'était mon tour d'entrer. Tout à mon plaisir, je chantais, je dansais, je m'amusais comme une gamine.

Pour la toute dernière chanson, j'ai voulu faire une blague aux musiciens en passant derrière le piano pour aller les rejoindre. La lumière était faible à cet endroit. Je n'ai pas vu le câble dans lequel mon pied gauche s'est coincé, me projetant dans une chute en avant spectaculaire. Dans un effort désespéré pour garder l'équilibre, j'ai tiré sur ma jambe gauche pour libérer mon pied. Aussitôt, j'ai senti une douleur indescriptible au niveau de la fesse. J'ai terminé le concert en sautillant, incapable de poser le pied au sol. Ma sortie boitillante fut un vrai succès! J'avais pourtant si mal que je ne pus m'asseoir de toute la soirée. Le moindre mouvement me faisait souffrir et m'interdisait même de trouver le sommeil.

Deux jours plus tard, le verdict du médecin du sport était sans appel: déinsertion partielle de l'ischio, trois mois de repos! Une rééducation de plusieurs semaines n'a pas permis au muscle de se ressouder sur l'os. La prudence était de rigueur. J'ai encore en tête la dernière recommandation du médecin:

— Pas de coups brusques, évitez les sports violents. La prochaine fois, c'est la rupture totale, donc l'opération!

Depuis ce jour, j'évite le ski, alpin et nautique... C'est un crève-cœur, mais si je vous raconte cette histoire, c'est pour vous expliquer combien il est important de rester concentré lorsque l'on travaille son corps. Il suffit d'un instant d'improvisation, d'une erreur pour que l'accident survienne. Grâce à mes années de courbatures et de transpiration, blessure ou non, je suis en mesure de continuer. Ma phrase favorite chante désormais à mon oreille: «Merci, Seigneur!»

Les années passant, j'avais besoin de trouver quelqu'un qui puisse être à la fois un coach et une artiste passionnée, afin que nous puissions encore danser. J'ai cherché... et j'ai trouvé! C'est un autre exemple de l'importance des rencontres. Dans mon esprit, vous l'aurez compris, elles ne sont jamais dues au hasard.

Dans le Complexe des Pyramides, lieu magique du sport où je m'entraîne depuis de nombreuses années, cette jolie femme longiligne, au corps et au port de tête de danseuse, m'avait intriguée à plusieurs reprises. Elle ne correspondait pas à l'archétype de «Monsieur Muscle», au corps parfaitement dessiné, pectoraux, biceps, abdos et fessier bien rebondis, que l'on peut voir dans ce genre de lieu. (Il y en a certains, d'ailleurs, qui abusent un peu!) Habituée à travailler avec des hommes, je n'osais pas l'aborder. Jusqu'au jour où son nom fut prononcé devant moi, lors d'une conversation autour d'un jus de fruits. La personne que j'attendais était là, près de moi, et s'appelait Véronique Bonhomme.

Depuis, Véro est devenue mon coach. Nos chemins se sont croisés pour ne plus jamais se séparer. Elle m'accompagne depuis plus de dix ans. Je lui dois ma forme, mon corps toujours élastique, mes remises à niveau dans mes légers coups de mou. Bref, elle tient aujourd'hui une place fondamentale dans ma vie. Chaque début de semaine, nos rendez-vous me procurent un bonheur énorme.

26

Bien dans son corps, bien dans sa tête

Qui n'a jamais éprouvé de temps à autre de légers passages à vide ? Je ne pense pas uniquement à la fringale de 11 heures, mais aux petits coups de déprime. Il y a des jours où rien ne va. Et, comme par hasard, les contrariétés s'enchaînent : une mauvaise nouvelle, un retard, un temps maussade... Bref, le moral en prend un coup.

Malgré mon tempérament résolument optimiste, je suis sujette, comme tout le monde, à ces « mini-déprimes ». Pourtant, sans me vanter, je peux dire que j'ai une faculté toute particulière – on peut même dire une chance – à ne pas me laisser envahir par la morosité et à surmonter ces courts instants de méforme (chez moi, ils ne sont jamais longs !), et ce depuis ma plus tendre enfance.

J'ai déjà abordé, dans un ouvrage précédent, la notion de Kâ. Dans l'antique philosophie égyptienne, le Kâ représente le double immatériel de l'être et incarne les forces vitales de chacun.

Cette énergie cosmique est présente en chacun de nous, plus ou moins développée selon les individus. En prendre conscience et y puiser l'énergie nécessaire pour retrouver du dynamisme ne suffit pas. Il faut aussi consentir un travail personnel pour se constituer une réserve d'énergie positive et suffisante pour affronter les petits tracas quotidiens.

Les moyens d'acquérir cette énergie sont simples et, pour la plupart, font appel au bon sens. En effet, il est facile de parvenir à des résultats probants en appliquant simplement quelques règles de vie faciles à suivre. Cela consiste à bien s'occuper de soi en menant une vie équilibrée.

Sur le plan alimentaire, il ne sera pas question de suivre un régime (sauf prescription médicale) car la règle quotidienne est de se faire plaisir avant tout. On peut donc consommer ce que l'on veut – sans exagération, bien entendu! Cependant, l'eau est primordiale. Un peu de vin et d'alcool sont tolérés, avec modération. Il n'en reste pas moins que le caractère purificateur de l'eau est sacré. De même pour son usage externe. Nul n'ignore aujourd'hui que les ablutions, la toilette quotidienne, l'hydrothérapie sont les garants d'une bonne santé physique, mais aussi psychologique. Tout laisser-aller en la matière est le signe annonciateur d'une situation dépressive dans laquelle l'individu ne va pas tarder à perdre pied.

Autre composante essentielle: le sommeil. Un manque de sommeil trop important engendre un état de fatigue qui mène au découragement et aux idées noires. Un sommeil réparateur, même de quelques heures seulement, est le gage d'un bon équilibre mental et d'un fort potentiel énergétique.

N'oublions pas la lumière, facteur d'équilibre capital. Il est conseillé de vivre dans un lieu illuminé par la clarté du jour. La pénombre et la nuit sont génératrices de tensions. N'oublions pas que le soleil est source de toute vie sur la terre. N'en abusons pas toutefois !

Ces conseils sont la base du respect de soi-même. Rien n'empêche d'y ajouter l'exercice physique. J'en reviens à l'importance de la respiration. Inspirer et expirer profondément nous assure un bien-être physique constant. Une bonne oxygénation est salutaire pour le fonctionnement interne du corps et du cerveau.

Pour les besoins de mon métier, je continue de parfaire mon souffle, ainsi que de m'entraîner à l'endurance dont j'ai besoin pour être en forme sur scène. Le sport, la dépense physique permettent de réguler les tensions. L'effort diminue la pression et aide à gérer l'humeur. Surtout lorsqu'on a, comme moi, les émotions à fleur de peau ! Si vous êtes triste, la tête encombrée de mauvaises pensées, vous constaterez qu'au bout d'une heure et demie passée à vous concentrer sur un exercice, vous aurez libéré votre esprit.

Pour ma coach comme pour moi, la danse est une évidence. Véronique est une vraie touche-à-tout. Sa vitalité me fait progresser, mais surtout... on s'amuse énormément ! La barre, que l'on peut pratiquer au sol, l'échauffement du corps, les chevilles, les hanches, les épaules, les cervicales... tout est important !

Avec Véronique, amie indispensable des jours gris comme des jours lumineux, nous avançons ensemble sur la route, échangeant nos expériences. Notre passion pour la danse nous a rapprochées, tel un cadeau du ciel. Tous les conseils contenus dans ce livre vous sont donnés sous son contrôle, afin que vous puissiez travailler sans vous blesser. Ils n'ont d'autre but que de vous conduire vers plus de bonheur dans votre façon de vivre avec votre corps. À nous deux, nous allons faire de vous un être tout neuf!

Nous avons donc décidé de travailler deux styles d'exercices qui se complètent: des étirements suivis d'une impro, de style parfois jazz, parfois contemporain. Car n'oubliez jamais qu'il est dangereux de travailler sans avoir «prévenu» nos muscles, nos articulations, nos tendons, que nous allons les solliciter. D'où l'importance des échauffements. Une fois notre corps en éveil, à l'écoute du travail que nous attendons de lui, nous sommes prêtes à danser.

Le choix de musique aussi est très important: j'aime que ça bouge! Quelques répétitions sont toujours nécessaires, avec les comptes, le temps de mémoriser les pas. Puis vient la mise en place. Mon gros défaut est d'aller trop vite: j'ai toujours tendance à me laisser emporter par le rythme, perdant à la fois les comptes et, par conséquent, les enchaînements! Mais je suis en progrès! Je gère de mieux en mieux mon impatience.

Il faut commencer par posséder la chorégraphie, dans les pieds et dans la tête, pour la poser sur la musique. Cette étape est essentielle, c'est même la plus importante. Après ce temps de mémorisation indispensable, on peut libérer son ressenti, se laisser aller sur la musique et savourer son plaisir. Chacun, en effet, exprime sa sensibilité dans sa façon de danser, qu'il s'agisse de douceur ou d'une énergie venue de l'intérieur.

L'émotion insufflée par l'interprétation d'une chorégraphie n'est pas sans conséquences sur votre corps. En ce qui me concerne, la danse me fait énormément de bien. Mes émotions distillent en moi joie et bien-être. Elles libèrent toutes les tensions de mon cerveau. Lorsque je sors d'un training de danse, mon moral est toujours meilleur. Je retrouve le sourire et l'humour. Et je ne termine jamais une séance sans prononcer ma phrase fétiche :

— Ah! je suis contente, on a bien travaillé aujourd'hui!

Et j'ajoute :

— Je positive!

En général, cette affirmation est suivie d'un fou rire général. Ça fait du bien!

Notre deuxième entraînement, distinct, a pour dessein de renforcer les muscles profonds. Comme pour la danse, nous commençons par un échauffement, des étirements et un peu de cardio – mouvements que j'effectue non sans rechigner, je l'admets! Que voulez-vous, je peux nager plus d'une heure, mais sur le tapis de course ou le vélo de salle… je râle! Véronique définit le travail en fonction de mon état de fatigue physique. Le programme sera différent si j'ai chanté trois soirs de suite et parcouru des kilomètres en voiture, ou si je suis restée tranquille à la maison, avec mon chien. Les semaines se suivent mais ne se ressemblent pas! Sachez que, même lorsqu'on se sent fatigué, un léger programme de décrassage est toujours efficace.

Vos muscles vous feront moins souffrir, vous aurez moins de courbatures. S'avachir sur un canapé est une fausse bonne solution. Un muscle, surtout lorsqu'il est fatigué, a besoin d'être étiré. Les muscles douloureux aspirent à respirer en reprenant leur élasticité. Il est donc important de ne pas les oublier. La frite, si agréable pour les tensions du dos et pour les abdominaux, reste ma grande copine. Mais il m'arrive de travailler avec le TRX, des sangles suspendues qui permettent de travailler en jouant uniquement sur son propre poids. J'aime beaucoup cette technique, bien qu'elle demande une concentration et un investissement physique très fatigants. Je ne conseille pas ces exercices sans l'aide d'un professionnel. Le TRX exige des muscles profonds, solides, et un gainage parfait. Si vous n'êtes pas bien placé et parfaitement gainé, c'est la chute assurée. Interdit aux débutants !

La différence entre la danse et l'entraînement ? Ils sont complémentaires. La danse assouvit ma vivacité, elle me procure du souffle, de la mémoire et entretient ma concentration. Et je ne vous parle pas du plaisir ! Rien n'égale la sensation de «lâcher prise», lorsque vous êtes porté par la musique. C'est comme s'il vous poussait des ailes !

L'exercice physique est pour moi le complément idéal de la danse. Il vous bâtit un corps solide, pour avoir la tête bien posée sur les épaules ! Les muscles du dos protègent et consolident votre arbre de vie, la colonne vertébrale. Rectifier la bonne tenue de votre corps est essentiel. Non, ce n'est pas une lubie ou la dernière mode du moment! C'est tout bonnement indispensable pour faire face au temps qui passe.

Après avoir soulevé des poids pendant des années, Véronique travaille aujourd'hui moins intensivement, mais plus longtemps, afin d'économiser mes articulations. Le résultat est parfait, puisque mes épaules sont bien moins douloureuses qu'avant. Comme dit le proverbe : «Qui veut voyager loin ménage sa monture!»

Pendant un entraînement, notre corps fabrique des endomorphines. Résultat : on se sent bien dans son corps et bien dans sa tête, selon le principe des vases communicants. Voici pourquoi, le jour où vous vous mettrez au sport, vous ne pourrez plus arrêter.

Certains matins, il est vrai que c'est difficile. On est si bien au chaud, sous la couette! Néanmoins, on se sent tellement mieux après une bonne séance de travail. On a la sensation d'être plus grand, plus droit, de mieux respirer. Et si, pour une raison quelconque, vous loupez une séance de sport, je peux vous affirmer que votre corps vous la réclamera!

27

Une bonne forme raffermit la confiance

Maintenant que vous connaissez mon histoire, passons à la vôtre.

Soyons francs : depuis combien de temps vous êtes vous oubliés dans cette course infernale de la vie ? Oh, je sais bien que les journées n'ont que vingt-quatre heures et que, mon Dieu, le temps passe affreusement vite ! Heureusement, nous sommes tous dans le même cas. Plutôt rassurant ! À quoi bon culpabiliser et s'affoler dans ces conditions ?

Aujourd'hui, vous allez prendre une nouvelle route. Comment ? En vous aimant et en vous appréciant. Car le manque de confiance en vous est votre pire ennemi. Vous avez le droit, je dirais même le devoir de reconnaître vos qualités. Soyez-en convaincu, nous sommes tous riches de possibilités. Peut-être n'avez-vous pas encore découvert vos spécificités, cachées au plus profond de vous-même.

J'entends d'ici les fausses excuses derrière lesquelles certains courront se réfugier :

— Il faut avoir un ego surdimensionné pour penser des choses comme ça!

Allons, un peu de bonne foi! S'aimer ne consiste pas à se regarder le nombril en pensant que l'on est le roi du monde. L'amour de soi, c'est s'écouter, se faire confiance et se dire que l'on n'est jamais là par hasard. Être convaincu que l'on est au monde pour aller au bout de quelque chose, c'est un pas vers le bonheur et l'accord avec soi-même.

Je suis certaine que vous avez déjà été surpris d'apprendre l'âge d'une personne, homme ou femme, au point de vous exclamer:

— Ma parole, il (ou elle) fait beaucoup plus jeune!

Bien souvent, c'est la posture qui provoque cet étonnement. Le fait de se tenir bien droit renvoie l'image d'une personne en pleine santé.

De votre façon de vous présenter à un dîner, à un entretien d'embauche, à un rendez-vous galant ou à une réunion pour défendre un projet, dépendra bien souvent votre réussite. La première impression physique que vous ferez à votre interlocuteur assurera la moitié de votre succès – ou de votre échec.

Une prestance, un sourire, un regard direct (surtout pas les yeux baissés, signe de peur ou de soumission), une poignée de main bien ferme témoignent de votre caractère et de votre envie de relever le défi.

Croire en ses possibilités est très sain. Vous avez confiance en vous-même? Montrez-le en vous tenant droit. Faites le test auprès de vos connaissances: vous serez amusés de constater à quel point ils seront stupéfaits. Vous surprendrez leurs regards dubitatifs, cherchant discrètement à comprendre comment vous vous êtes ainsi métamorphosée! Mais attention à ne pas confondre l'assurance et l'orgueil! Les orgueilleux et les vantards n'ont absolument aucune confiance en eux. Au contraire, c'est bien souvent la peur et la faiblesse qui les poussent à se donner du courage pour compenser leur handicap et s'autosatisfaire.

Nous sommes tous nés pour accomplir une mission sur cette planète. Et nous avons toutes les clés pour y parvenir. Toutes les solutions sont à portée de main : à l'intérieur de nous-mêmes. Donnons-nous les moyens d'y arriver en écoutant notre instinct.

Dans la construction d'une maison, l'important, ce sont les fondations. Pour parfaire ce bien-être, nous devons remettre notre corps en ordre de marche. La maison de notre âme vaut bien que l'on se donne le courage de tout recommencer. Que vous soyez débutant ou que vous redémarriez après une longue période d'arrêt, ayant passé quarante ans, il est toujours raisonnable de devenir un peu plus attentifs à vous-mêmes.

Plus de doute sur vos capacités, puisque nous allons tout reprendre à zéro! Ensemble, nous pouvons oublier nos angoisses pour penser à demain. Et n'oubliez pas que votre meilleur ami... c'est vous!

28

Veiller sur sa santé

Les bienfaits d'une activité physique sont nombreux. Elle développe les muscles, l'amplitude des articulations et consolide les os, en particulier ceux de la colonne vertébrale.

Ma première recommandation, et la seule que je vous imposerai, c'est d'avoir le courage d'aller passer un « test à l'effort ». Pas de panique, il ne s'agit pas d'une prise de sang !

La première chose que Véronique a exigée de moi, c'est de me faire passer un test cardiaque d'effort et d'aller voir mon médecin pour confirmer mon aptitude à la pratique de l'activité physique.

Que vous soyez débutant ou que vous repreniez le sport après cinquante ans, après une longue période d'arrêt, une visite médicale et un test d'effort sont indispensables. N'omettez pas cette mesure de sécurité indispensable, qui vous permettra d'aborder le sport en toute tranquillité. Tous les sportifs de haut niveau le font.

Les problèmes majeurs que l'on rencontre en vieillissant sont liés aux articulations (vertèbres et disques), aux épaules, aux hanches et aux genoux. C'est bien pourquoi il est recommandé de pratiquer une activité physique. Après de nombreuses années d'expérience, je reste néanmoins persuadée que le plus important est d'entretenir d'abord son dos : une bonne posture de la colonne vertébrale, votre « arbre de vie », vous maintiendra droit et debout à travers les années.

Avez-vous remarqué combien de personnes se plaignent du dos ? On dit que c'est le « mal du siècle ». Vous connaissez tous l'expression usuelle : « J'en ai plein le dos. » Elle résume notre état général et mental. Le mal de dos, bien entendu, peut provenir d'une mauvaise position. Il peut aussi être provoqué par un faux mouvement. Pas d'autre solution, dans ce cas, que de consulter un bon ostéopathe.

Mais les tensions du dos sont aussi dues aux petits et grands soucis du quotidien, à l'accumulation de stress, aux explications que l'on garde pour soi afin d'éviter les conflits. C'est ce que l'on appelle la « somatisation ».

Il est pourtant nécessaire d'ouvrir son cœur de temps à autre – de « vider son sac », comme on dit. Je peux comprendre que ce ne soit pas toujours possible ; il n'en reste pas moins nécessaire d'apprivoiser les tensions. Je reste persuadée que s'expliquer franchement, voire mettre parfois les pieds dans le plat, permet de libérer les tensions et de les dissiper.

Par ailleurs, il est prouvé que l'activité physique favorise le bien-être corporel et mental. D'après le professeur Ken Fox, de l'université de Bristol (Royaume-Uni), et selon de nombreuses études, une personne active, d'âge adulte à âge mûr, est deux fois moins susceptible qu'une autre d'être victime d'une maladie grave ou d'une mort prématurée. En fait, le bénéfice du sport pour la santé est comparable à celui d'un non-fumeur par rapport à un fumeur.

29

Quelques conseils pratiques

Je ne pouvais pas faire moins que vous donner quelques-unes de mes recettes de bonne forme, simples à mettre en œuvre, à pratiquer tous les jours. Et que je ne vous entende pas vous réfugier derrière l'éternelle réplique :

— Comment ça, tous les jours ? Mais je n'ai pas le temps !

Bien sûr que si, vous avez le temps ! Ne me faites pas croire qu'en vous en donnant la peine vous n'allez pas trouver une petite demi-heure pour vous dans votre emploi du temps de ministre... D'ailleurs, même les ministres la trouvent !

Votre santé n'est-elle pas primordiale pour vivre correctement ? Dieu vous a tout donné. Respectez la chance que vous avez de pouvoir penser, réfléchir, courir, manger, partager ! Pour savoir et pouvoir profiter de tout cela, il convient toutefois de fournir un minimum d'efforts... et je sais que vous pouvez le faire !

Une chose me réjouit : je sais par avance que, lorsque vous y aurez goûté, vous ne pourrez plus vous en passer. En dépit même de votre volonté, votre corps sera en demande. Car la mémoire corporelle est indélébile : elle reste gravée. Et votre corps, lui, sait très bien ce dont il a besoin.

La nouvelle règle de vie que vous adopterez sans culpabiliser fera du bien à votre corps et à votre tête, mais elle assouplira aussi vos rapports avec votre entourage. Lorsqu'on est bien dans ses baskets, le visage s'adoucit, on décroche plus facilement un sourire. Or, quoi de plus agréable qu'un sourire ? Cette denrée devient si rare qu'on en reste interloqué ! Il nous arrive même de nous demander :

— Non mais, qu'est-ce qui lui prend de me sourire, celui-là ?

C'est triste à dire, et c'est pourtant vrai : nous perdons l'habitude de croiser des personnes souriantes, qui vous saluent courtoisement, vous ouvrent gentiment la porte pour vous laisser passer et vous cèdent leur place assise lorsqu'elles voient que vous êtes un peu fatigué. J'ai choisi de faire partie de cette catégorie. Mon éducation doit y être pour quelque chose et pour rien au monde je ne tiens à l'oublier.

La vie est faite pour partager de jolis moments. Tout peut commencer par un simple sourire. Alors, ne ratez pas les exercices qui suivent si vous souhaitez faire partie de cette tribu en voie de disparition : les gens affables.

Le sport mène à tout. Se sentir en accord avec son corps, c'est bien plus que maintenir sa jolie ligne.

Votre corps est le véhicule de votre âme, il mérite bien un peu de considération. Après tout, il arrive que l'on en ait davantage pour sa voiture : révision mécanique, vérification des niveaux, pression des pneus, lave-glace... Autant de soins indispensables ! Pourquoi serait-il moins important de nous occuper un peu de notre enveloppe corporelle ? Ne mérite-t-elle pas aussi tout notre respect ? Réfléchissez un peu à cette question... mais je vous fréquente depuis longtemps, je sais que vous connaissez déjà la réponse !

Allons-y ensemble, gaiement, et vive cette nouvelle vie qui s'offre à vous !

*

La meilleure des solutions – magique pour moi –, ce sont les étirements. Ils permettent d'améliorer la souplesse, le jeu des articulations et le relâchement musculaire.

L'étirement lent, progressif et en douceur ne doit pas faire mal. Comme dit toujours Véro, ma coach, il est indispensable d'avoir une bonne respiration. La respiration s'effectue par le nez : inspirer et expirer lentement par le nez, lors de chaque étirement, permettra aux muscles de se décontracter et de se relâcher.

Commençons donc par prendre conscience de notre respiration. Voici un premier exercice fondamental pour pratiquer ce que l'on appelle la « respiration simple ». J'aime beaucoup cette respiration. Si en plus vous trouvez une petite musique de relaxation en fond sonore, ce sera le top !

1er exercice

RESPIRATION SIMPLE*

Position de départ : allongé sur le sol, bras de chaque côté du bassin, dos des mains sur le sol. Détendez les épaules et fermez les yeux (figure 1). Concentrez-vous sur le nez et observez le processus de la respiration.

Maintenez l'attention sur les narines : sentez l'air entrer en inspirant et ressortir en expirant.

Observez la cage thoracique qui s'ouvre et se referme.

Concentrez-vous sur le ventre et observez son mouvement continu de va-et-vient.

Maintenez l'attention et sentez ce processus, écoutez le silence de votre respiration.

Le rythme de votre respiration s'est ralenti. Détendus, l'esprit et le corps sont calmes et apaisés.

Abordons maintenant les exercices basés sur la respiration.

Vérifiez que votre corps est bien droit au sol (allongé), les jambes dans l'alignement de votre bassin. Pliez votre jambe gauche, pied à plat sur le sol, bras gauche le long du corps. Levez doucement votre bras droit en le passant près de votre oreille, jusqu'à quelques centimètres au-dessus du sol, tout en étirant en même temps votre jambe droite, qui est restée tendue.

---

* Retrouvez en photos les figures des exercices, numérotées de 1 à 37, dans le livre *Les Bonheurs de l'exercice*, en vente uniquement sur s-creation.com

Imaginez que votre bras droit veut toucher le ciel et votre pied droit, la terre. Votre étirement du côté droit est total. Vous devez sentir vos côtes se soulever, comme si vous aviez grandi de dix centimètres. Enfin, redescendez votre bras droit et posez-le lentement sur le sol.

Bien entendu, les premières fois, vous devez y aller doucement; on ne devient pas souple en deux minutes. Aucun exercice ne doit être fait en force: de la douceur!

Et maintenant, répétez la même chose de l'autre côté. Jambe droite pliée, pied droit bien posé à plat sur le sol dans l'alignement de votre genou, et on y va! Vous pourrez constater, si vous avez fait l'exercice correctement, que votre dos est déjà moins raide.

Bien entendu, vous pouvez répéter cet exercice si vous en ressentez le besoin. Comme on dit, il n'y a pas de mal à se faire du bien! Les étirements font partie de notre bien-être.

2e exercice

Toujours allongé sur le dos, levez une jambe après l'autre (très important!) en les pliant sur votre ventre. Attrapez chaque genou avec votre main, puis essayez de ramener doucement vos genoux vers chaque épaule. Vous allez constater que votre coccyx se soulève, étirant par là même le bas de votre dos en dégageant vos lombaires.

Tenez cette position quelques minutes, puis relâchez. Répétez deux ou trois fois cet étirement qui va détendre votre dos.

3ᵉ exercice

Allongé sur le dos, respirez profondément en commençant par le ventre. Soulevez les côtes en remontant jusqu'aux bronches.

Laissez votre jambe gauche allongée sur le sol, pliez votre jambe droite en la ramenant, une fois encore, vers votre épaule droite. Maintenez votre genou en posant votre main droite dessus et faites tourner votre jambe doucement vers l'extérieur et l'intérieur, sans bouger votre bassin, pour travailler l'articulation. Répétez la même chose de l'autre côté.

Jambe gauche au sol, jambe droite pliée, main sur le genou, faites doucement tourner votre jambe vers l'intérieur et vers l'extérieur. Attention : votre bassin ne doit pas bouger. Vous devez déjà vous sentir mieux, votre dos commence à respirer un peu !

Enfin, pour terminer ce moment d'étirement qui doit devenir quotidien (mais je vous entends bougonner, alors disons trois fois par semaine pour commencer, et croyez-moi, si vous vous y tenez, vous allez voir et apprécier la différence !), voici un autre exercice qui souligne l'importance de la respiration pour l'étirement en général.

4ᵉ exercice

Toujours allongé sur le dos, ramenez vos deux genoux, l'un après l'autre, vers votre poitrine. Allongez vos deux bras le long du corps, de façon à former un V de chaque côté de votre torse. La paume des mains est posée à plat sur le sol, pour stabiliser votre position. Vos deux jambes forment un angle droit avec votre bassin. Abdominaux serrés, faites pivoter doucement vos deux jambes pliées sur le côté droit jusqu'au sol. Cette descente en douceur a pour effet de détendre les lombaires en étirant le bas de votre dos. Restez dans cette position quelques minutes en respirant. On se détend! Puis, abdos serrés, remontez une jambe après l'autre pour revenir à la position initiale. (Ceux qui ont déjà une bonne sangle abdominale peuvent remonter les deux jambes en même temps.) Effectuez le même exercice sur le côté gauche, sans oublier de respirer profondément lorsque vos deux jambes reposent sur le sol. Toutes ces expirations et inspirations aident votre dos à se détendre.

*

Je suis accoutumée à respirer profondément pour me préparer avant les concerts. Mais il faut se méfier des choses que l'on fait par routine ou par habitude, sans réfléchir.

Malgré ma longue pratique, lorsque je me concentre pendant un exercice, je sens immédiatement la différence. Les effets de ma respiration sont décuplés. Nul n'est parfait, aussi n'omettez jamais de rester en éveil lorsque vous faites un exercice, quel qu'il soit.

Comme vous, j'ai d'abord eu beaucoup de mal à respirer correctement. Les cours de chant auxquels je me rendais tous les jours à mes débuts m'ont appris à utiliser ma colonne d'air pour permettre à mes cordes vocales de vibrer correctement. Le blocage de l'air se fait en bas du ventre, juste au-dessus du pubis.

Vous enfoncer dans le sol en accrochant votre inspiration vous offre la possibilité de lâcher le souffle à votre convenance, donnant plus ou moins de force à la note que vous travaillez.

Après cet aparté, revenons aux étirements! Voici les cinq exercices de base que je fais régulièrement:

5ᵉ exercice

ÉTIREMENT DE LA COLONNE VERTÉBRALE

Allongez-vous sur le dos, jambe gauche pliée, pied posé sur le sol, bras le long du corps. Montez le bras droit tendu vers votre tête sans toucher le sol et tendez votre jambe droite en poussant le talon vers le mur. Ressentez l'allongement de tout le côté droit du talon jusqu'au bout des doigts, puis remontez le bras à la verticale, ramenez-le vers le bassin et relâchez l'étirement de la jambe.

Faites cet étirement deux ou trois fois et recommencez de l'autre côté.

Étirez-vous avec une agréable sensation. Les étirements font partie de votre bien-être.

6ᵉ exercice

ASSOUPLISSEMENT DES HANCHES

Allongez-vous de nouveau sur le dos, ramenez les deux genoux vers la poitrine et placez une main sur chaque genou. Effectuez plusieurs mouvements circulaires en commençant par la droite, et poursuivez par la gauche. Veillez à garder votre dos immobile sur le sol.

7ᵉ exercice

ÉTIREMENT DE LA COLONNE LOMBAIRE

Même position de départ que pour le 2ᵉ exercice. Ramenez lentement les genoux vers les épaules, en expirant. Votre coccyx et le bas de votre dos se soulèvent légèrement. Maintenez la position en vous détendant, puis relâchez progressivement jusqu'à reposer tout le dos sur le sol.

Répétez l'exercice quatre ou cinq fois en vous concentrant sur l'étirement du bas du dos.

Vous vous sentez déjà mieux, non? Votre dos commence à respirer un peu!

8ᵉ exercice

ÉTIREMENT DE L'ARRIÈRE-CUISSE (ISCHIO-JAMBIERS)

Assis sur le sol, la jambe gauche tendue devant, fléchissez la jambe droite en ouvrant le genou sur le côté. Saisissez à deux mains l'arrière du genou gauche – ou votre mollet ou votre pied, pour les plus souples.

Maintenez cette position avec une respiration calme pendant 20 à 30 secondes. Faites la même chose de l'autre côté.

9ᵉ exercice

ROTATION DE LA COLONNE VERTÉBRALE

Toujours allongé sur le dos, ramenez vos deux genoux, l'un après l'autre, vers votre poitrine. Allongez vos deux bras de chaque côté de vos épaules. Les paumes des mains sont à plat sur le sol, pour vous permettre de stabiliser votre position. Vos deux jambes sont à l'angle droit de votre bassin. Abdominaux tenus, posez vos deux jambes, l'une après l'autre, à droite de votre bassin. Restez dans cette position quelques minutes en respirant. On se détend! Puis, abdos serrés, remontez une jambe après l'autre, pour revenir à la position initiale. Effectuez le même exercice sur le côté gauche. Pour cet exercice, la respiration est essentielle!

*

Si vous avez suivi à la lettre toutes mes indications, vous devez vous sentir beaucoup mieux. Votre dos a dû se détendre et les contractions qui vous faisaient si mal ont dû commencer à s'estomper.

Ces petits étirements, que vous ne tarderez pas à connaître par cœur, vont devenir une des solutions de votre bien-être. En tout cas, ils vous serviront de base pour un moment de relaxation qui vous aidera à affronter les problèmes, le stress, et tout ce à quoi nous ne sommes jamais vraiment préparés.

Parallèlement à ces exercices d'étirements, je pratique cinq exercices de renforcement des muscles profonds du dos. Ainsi, mon dos est à la fois étiré et stable. Attention: il importe de faire ces exercices dans l'ordre suivant:

10ᵉ exercice

RENFORCER L'ARBRE DE VIE

Allongé sur le ventre, jambes écartées, abdominaux serrés, tête posée sur les mains, doigts croisés.

Décollez très légèrement le haut de votre buste 3 fois de suite pendant 20 secondes (figure 2). Toujours allongé sur le ventre, placez vos deux mains derrière votre tête, doigts croisés. Abdos serrés, visage face au sol, décollez le haut de votre corps 5 fois de suite et maintenez 20 secondes à chaque série (figure 3).

11ᵉ exercice

QUADRUPÉDIE

À quatre pattes, tendez la jambe droite vers l'arrière et allongez le bras droit vers l'avant. Alignez bien la jambe, le dos et le bras : c'est important. Maintenez la position 20 secondes. Répétez 3 à 5 fois (figures 4 à 7).

12ᵉ exercice

RENFORCEMENT DES LOMBAIRES

Allongé sur le ventre, un coussin placé sous le ventre. Levez successivement la jambe droite et le bras gauche, puis effectuez des petits battements pendant 30 secondes, 3 fois de suite. Finissez la série par une position statique, pendant 20 secondes. Faites la même chose de l'autre côté : jambe gauche, bras droit, 3 séries de battements de 30 secondes, puis position statique pendant 20 secondes (figures 8 à 10).

13e exercice

LES MUSCLES DU HAUT DU DOS

Fixez votre élastique à la poignée d'une porte. Perpendiculaire à la fixation, attrapez l'élastique avec la main opposée à la porte, tirez bras tendu en pensant bien à l'alignement coude-main-épaule abaissée. Faites 20 répétitions. Votre bras vous brûle un peu ? C'est normal, ça travaille !

Reprenez l'exercice avec l'autre bras : pas de jaloux ! (Figures 11 à 24).

14e exercice

RENFORCEMENT DU BAS DU DOS, DES CUISSES ET DES FESSIERS

Travaillons le gainage ! Placez le ballon Swiss Ball sous l'abdomen, les doigts croisés derrière la tête. Laissez votre buste épouser la forme du ballon. Faites une planche en appuyant le corps sur le ballon, les abdominaux serrés. Les jambes, le bassin et le buste sont alignés (figures 15, 16 et 16 bis).

Répétez plusieurs fois cet exercice en prenant 30 secondes à 1 minute de récupération entre chaque série de 12 répétitions minimum. Avec ce gainage, tous les muscles profonds sont sollicités. Lorsque vous serez plus entraînés, je vous proposerai un travail différent avec la frite.

Pour plus de sécurité, bloquez vos pieds contre un mur ; vous travaillerez ainsi les pieds bien calés.

Vous pouvez donc recommencer l'exercice. Allez ! Dans la joie et la bonne humeur !

*

Attaquons maintenant les jambes, qui supportent nos kilos en trop, nos stations debout prolongées, nos piétinements répétés, nos chaussures à talons de plus en plus perchés. De quoi se tordre les chevilles à chaque pas ! Il est donc temps de prendre soin d'elles, de les étirer et les renforcer.

15ᵉ exercice

UNE JAMBE LONGUE ET LÉGÈRE

Allongez-vous au sol sur le dos, levez vos deux jambes tendues pour former un angle droit avec votre bassin. (Il est possible de le faire avec une jambe en l'air seulement, l'autre étant pliée sur le sol.)

Faites tourner vos deux pieds dans le même sens, vers la droite, en essayant de former un cercle, une douzaine de fois, afin de renforcer les chevilles. Répétez l'exercice dans l'autre sens. Formez le plus grand cercle possible. Si l'exercice est bien réalisé, vous devez sentir vos mollets et vos chevilles en plein travail.

Pour finir, chaque pied tourne dans un sens opposé à l'autre : d'abord, les deux pieds vers l'intérieur une dizaine de fois, puis vers l'extérieur une dizaine de fois. Voilà vos chevilles en pleine forme, prêtes pour la suite !

16ᵉ exercice

Pour que vous commenciez à me détester un peu avec mes exercices, je vous recommande maintenant le plus douloureux. Moi-même, je râle en l'exécutant !

Allongé sur le sol, les deux jambes tendues à la verticale, formant un angle droit avec le bassin, un pied fléchi, un pied pointé. Il suffit maintenant d'intervertir entre les deux pieds : fléchi, tendu, fléchi, tendu, une vingtaine de fois. (Ne vous inquiétez pas si ça chauffe, c'est normal !) Les plus sportifs d'entre vous, les deux jambes toujours tendues, peuvent continuer en mettant les deux pieds ensemble en flexion et en effectuant des flexions-extensions beaucoup plus petites, à un rythme plus rapide. Et voilà ! Bon sang, ça brûle !

17e exercice

Continuons les exercices des jambes en travaillant maintenant l'intérieur des cuisses : les adducteurs. Une partie sensible que l'on a trop tendance à oublier.

Allongé sur le dos, gardez vos jambes tendues et commencez à les ouvrir, chacune de son côté, en « V ». Vous pouvez placer un petit coussin sous le coccyx si vous êtes cambré ; votre dos sera ainsi soulagé.

Allez-y doucement pour cet étirement qui doit se faire sans forcer au début, simplement avec le poids des jambes. Laissez l'écartement s'ouvrir légèrement en respirant profondément. Au bout de 30 secondes à 1 minute dans cette position, repliez les jambes et les pieds vers les fessiers, fermez les genoux et posez les pieds au sol.

Nous pouvons maintenant renforcer les adducteurs. Pour ce faire, reprenez la position avec les mains sous le coccyx, le dos tenu. Partez en position d'ouverture des jambes : refermez et ouvrez vos jambes 15 à 20 fois, fessiers serrés, pieds fléchis, en cherchant à allonger vos jambes. Effectuez au minimum 3 séries de 20 répétitions.

Lorsque vous aurez assimilé cette technique, vous pourrez être fière de votre réussite – dans la souffrance, certes, mais avec des chevilles en pleine forme !

18ᵉ exercice

ASSOUPLISSEMENT DE L'ARBRE DE VIE

Pour terminer cette séquence, l'exercice que voici se promet d'être rééquilibrant et très agréable.

Nous allons maintenant nous asseoir sur nos talons, le buste couché sur les cuisses, les deux bras tendus le long des oreilles, la paume des mains sur le sol. Étirez chaque bras au maximum en soufflant. Je sens que vous allez adorer…

Placez-vous en quadrupédie sur les genoux en inspirant, le dos droit, les deux paumes posées sur le sol au niveau des épaules, dans la position du « chien », la tête dans le prolongement du dos. La colonne vertébrale doit rester en alignement. Puis asseyez-vous de nouveau sur vos talons comme précédemment, en expirant profondément.

Effectuez l'exercice 3 ou 4 fois de suite (figures 18 à 21).

19ᵉ exercice

Pour compliquer les choses, partez de la position du chien, sur les genoux, les bras à l'inspiration, la tête relevée, le regard vers l'horizon.

Arrondissez votre dos, abdos serrés, tête rentrée en expirant. Inspirez de nouveau en reprenant la position du chien, la tête relevée, le regard vers l'horizon, et replacez-vous sur vos talons. Soufflez en vous relevant doucement et en poussant sur vos jambes, la tête rentrée dans les bras, pour un étirement du dos et des ischio-jambiers (toujours sur la pointe des pieds). Tenez la position quelques secondes en expirant. Posez vos talons au sol, les jambes tendues si possible – si vous n'y arrivez pas, restez les jambes sans extension, vous y viendrez avec de la pratique. Remontez sur vos pointes de pied, pour redescendre sur les genoux dans la position du chien à l'expiration. Inspirez en relevant la tête vers l'horizon. Enfin, rasseyez-vous sur vos talons en expirant, le buste sur les cuisses, les bras tendus sur le sol.

*

Avec un peu de pratique, chaque mouvement s'enchaînera au rythme de votre respiration, comme dans un petit ballet. Alors respirez, relaxez-vous et, surtout, ne travaillez pas en force! Si après tout ça vous ne vous sentez pas détendu, avec la sensation d'avoir grandi de quinze centimètres, je jette l'éponge!

Tout cela vous paraît bien compliqué? Détrompez-vous: si vous exécutez ces mouvements lentement, trois ou quatre fois de suite, tout s'éclairera et vous y reviendrez avec une joie immense.

30

Le training du sportif

Voici comment améliorer votre condition physique grâce au cardio-training.

Ce programme cardio et musculaire de base vous permettra de renforcer vos muscles, d'améliorer votre gainage et de maintenir votre condition physique. Vous avez besoin d'un tapis, d'une corde à sauter, d'une serviette et d'une bouteille d'eau... sans oublier une bonne dose de motivation!

Échauffement

• Les mains sur les épaules, faites 30 cercles vers l'arrière et 30 vers l'avant (figure 22).

• Poursuivez par une trentaine de rotations du buste de droite à gauche (figure 23).

• Puis 30 squats bras fléchis vers l'avant (figures 24 et 25).

• Enfin, 20 fentes latérales droite et gauche (figure 26).

• Achevez par un échauffement des chevilles, en décrivant des cercles vers l'extérieur et l'intérieur.

Vous êtes prêts ? Commençons !

Séquence 1

- Sautez à la corde pendant 20 secondes. Reposez-vous 10 secondes.
- Enchaînez les pompes sur les genoux ou jambes tendues pendant 20 secondes (figures 27 et 27 bis).
- Sautez à la corde pendant 20 secondes. Reposez-vous 10 secondes.
- Faites des squats dynamiques pendant 20 secondes (figures 28 et 29).

☛ Le squat est un exercice de flexions plus ou moins grandes sur les jambes.

Séquence 2

- Faites une série de « jumping jacks » avec montée des bras pendant 20 secondes. Reposez-vous 10 secondes.
- Faites la planche avec lever de jambes en alternance pendant 20 secondes (figure 30).
- Faites une série de « jumping jacks » avec montée des bras pendant 20 secondes. Reposez-vous 10 secondes.
- Faites la planche en appui sur les mains, jambes tendues pendant 20 secondes.

☛ Le jumping jack est un petit saut sur place avec écart latéral.

Séquence 3

- Sautez à la corde pendant 20 secondes. Reposez-vous 10 secondes.
- Planche sur les mains, monter de bras et lever de jambes. Allongez le bras droit devant en alternance avec le bras gauche pendant 20 secondes (figures 31 et 32).
- Sautez à la corde pendant 20 secondes. Reposez-vous 10 secondes.
- Faites des squats dynamiques pendant 20 secondes.

RAPPEL : n'oubliez pas de terminer votre entraînement par des étirements. Indispensable après ce programme pour les sportifs avancés !

Et lorsque vous serez bien entraînée, vous pourrez inviter vos copines à faire quelques exercices avec vous, rien que pour le fun ! (Figures 33 à 37).

Retrouvez en photos toutes les figures
des exercices dans l'album
Les Bonheurs de l'exercice,
en vente uniquement sur s-creations.com

31

Réflexologie faciale

La réflexologie faciale, ou Dien Chan, est une méthode ancestrale fondée sur la stimulation (par massage ou pression) des zones réflexes du visage, à partir de la médecine chinoise. On y a recours également dans les soins de shiatsu.

Bien sûr, rien ne remplacera un bon praticien, mais vous pouvez vous-même vous libérer ou alléger vos tensions en massant doucement la zone choisie. Toutes ces zones, assez faciles à mémoriser, peuvent vous aider dans la vie de tous les jours. Pour l'avoir pratiquée, je peux témoigner que c'est aussi une excellente façon de se réveiller le matin, en aidant votre visage encore gonflé par le sommeil et la chaleur de la couette à reprendre forme humaine.

Comment procéder?

Devant votre miroir, massez la zone voulue (par exemple la zone 2, celle de la vésicule), en exerçant une pression légère et en soufflant à chaque passage, toujours en remontant vers les cheveux. Votre tête va se dégager et les tensions vont disparaître.

Avec le temps et l'habitude, vous finirez par trouver vous-même le point le plus sensible correspondant à l'organe que vous désirez dégager. Le schéma ci-dessous vous aidera à repérer les zones à traiter. Chaque point un peu plus sensible vous signale qu'il faut y revenir plusieurs fois pour dégager la zone encombrée.

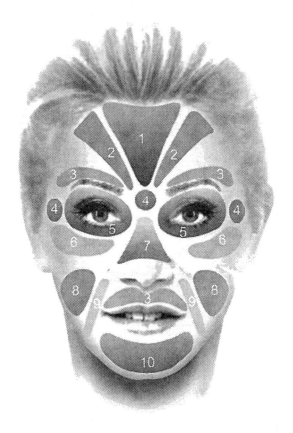

① Intestin grêle. ② Vésicule. ③ Cœur. ④ Foie. ⑤ Reins.
⑥ Estomac. ⑦ Pancréas, rate. ⑧ Poumons. ⑨ Gros intestins.
⑩ Organes génitaux.

Jocelyne, mon amie maîtresse de Reiki, pratique différemment. Nous appellerons sa technique «l'araignée». Il suffit de poser chaque pouce sur chacune de vos tempes. Cela fait, pliez les doigts de chaque main sur le sommet de la tête, puis déplacez vos doigts vers l'avant et vers l'arrière du visage en pianotant. Ils se déplaceront facilement sur toutes les zones qui nous intéressent.

Regardez-vous dans une glace pour visualiser exactement les emplacements que vous devez toucher. Avec un peu de pratique, vous connaîtrez et sentirez tous les points magiques qui dégageront votre tête ou les zones à dégager dans votre corps. C'est une excellente façon de commencer la journée avec le sourire.

La sensation d'allègement et de libération provoquée par ce petit exercice vous aidera à accueillir ce jour nouveau la tête libre et bien en place.

Vous allez adorer cette petite araignée qui a pris naissance dans vos mains – et qui n'effraiera aucun ami arachnophobe!

32

Vos meilleurs amis

Vous l'aurez compris : avec un peu de volonté et beaucoup d'entrain, on peut changer sa façon de vivre, de penser, de manger et de travailler pour se sentir bien dans sa vie.

Dans cette compétition, vous n'aurez qu'un seul concurrent : vous-même. Car tout dépend de vous !

Trêve de plaisanteries, je peux vous révéler qu'en réalité vous serez deux : votre corps physique et votre psychisme. Même s'ils forment un tout, il n'en reste pas moins important de travailler son corps pour protéger son âme. Votre bien-être sera total le jour où, en pleine connaissance de cause, vous utiliserez les deux à bon escient. Car l'un ne va pas sans l'autre.

Ce don de « double vue », nous le possédons tous. Il représente une ouverture complète pour une approche vers un peu plus de sérénité.

Lorsqu'on est décidé à partir en guerre contre le laisser-aller, le temps qui passe et les regards assassins de ceux qui commencent à vous traiter de «croulant», il convient d'être convenablement armé. Mes fusils ne tirent pas de cartouches, mais je peux les transporter partout. Je les appelle mes «indispensables». De quoi s'agit-il? De simples élastiques, petits, plats et pratiques, indispensables en effet pour les fessiers, les cuisses et les bras, vous pourrez les glisser dans votre sac de voyage sans difficulté. Ainsi, rien ne vous empêchera de pratiquer tous les jours. La «frite», quant à elle, se range facilement dans un coffre de voiture. En vacances, vous continuerez avec elle vos étirements du dos et les abdominaux profonds qui tiennent votre squelette.

Les élastiques et la frite seront bientôt vos meilleurs amis!

33

S'ouvrir au changement

Dans ce livre, j'ai voulu partager avec vous mes secrets de vie et de bonne santé. Un travail entrepris il y a plus de vingt ans avec *Chemins de lumière*. À l'époque, je parlais des rencontres extraordinaires qui avaient contribué à parfaire mon évolution et ma sérénité. J'abordais les vies extérieures, le *rebirth*, les prières. Ce partage d'enseignements a aidé un grand nombre d'entre vous, si j'en crois les réactions qu'il a suscitées et qu'il suscite encore.

Avec *Les Bonheurs de la vie*, la démarche était un peu différente. Pour ce sujet si vaste et toujours changeant qu'est le dépassement de soi, j'ai choisi d'aller à l'essentiel, d'aborder avec vous tout ce que je pratique au quotidien pour me porter le mieux possible : le bien-être, le vivre mieux, la meilleure façon de vivre heureux, autant de clés ouvrant les portes de votre future joie de vivre. Ces exercices mentaux, physiques et spirituels me permettent de me sentir assez solide pour continuer d'avancer quoi qu'il arrive. Et je sais d'expérience qu'ils me grandissent un peu tous les jours.

J'ai ressenti le besoin de vous faire profiter de tout ce qui m'a fait du bien dans la vie, de tout ce qui me permet de conserver un sourire au coin des lèvres et de pouffer de rire devant les futilités de l'existence. C'est aussi et surtout pour cela que nous sommes sur cette terre : pour que chaque enseignement, une fois assimilé, puisse être transmis à ceux qui en éprouvent le besoin. La transmission n'est-elle pas la plus belle des manières de lier les générations entre elles ?

La génération de ma grand-mère, qui m'a légué son goût pour le travail, cette folie permanente qui faisait d'elle à mes yeux une « Mamy 100 000 volts » !

La génération de mes parents, qui m'ont transmis leur modèle de vie, le respect des autres, cet amour de la nature qui m'inspire toujours aujourd'hui.

La génération de Mme Raoul Breton, *alias* « la Marquise », qui ne l'était pas, mais qui arborait une collection de bijoux offerts par son mari avec une grâce que beaucoup lui enviaient. J'avais dix-sept ans lorsqu'elle m'enseigna comment manger du caviar dans la haute société et me fit découvrir, accrochés dans son salon, des peintres que je ne connaissais pas, moi qui jusque-là n'avais su apprécier que les œuvres de ma mère.

La génération du Dr Guinebert, dont je suis toujours restée le « petit chat ». Il fut mon premier guide vers une spiritualité plus approfondie et vers la télépathie : l'une de mes expériences les plus invraisemblables !

La génération du Dr Sallard, qui m'appelait sa « douce amie », sa « petite chérie », m'initiant sans tabou au magnétisme, au pendule, aux vies antérieures, aux prières, aux égrégores et autres anges gardiens.

Et tant d'autres qui, sans le savoir, m'ont aidée à enrichir mon passage sur cette terre...

Tout le monde a ses petits secrets. Les miens vous aideront, je l'espère, à vivre dans une douce lumière intérieure que vous allumerez vous-même.

Toutes les recettes auxquelles j'ai recours pour me lever de bonne humeur, me sentir en pleine forme, manger intelligemment, respirer correctement, je les ai rassemblées dans ces pages. Ce sont autant d'astuces pour rester jeune de corps et d'esprit.

Dans le remue-ménage perpétuel de la société où nous vivons, où les valeurs sont mises à mal, où le progrès nous avale dans le virtuel, laissant nos émotions sur le bord de la route, malmenées par un raz de marée d'images insoutenables, j'ai tenté de vous raccrocher à une réalité plus humaine, à un monde qui ne se résume pas au matériel.

Notre spiritualité ouvre des horizons plus vastes, bien au-delà des frontières terrestres et cartésiennes. Comme l'a dit un grand esprit : « Le XXIe siècle sera spirituel ou ne sera pas. »

Regardons autour de nous : partout l'injustice et la violence, source de désordres et de confusion. Face aux événements traumatiques, notre involontaire passivité laisse des traces. Nos schémas erronés, mal assimilés, bloquent notre avancée.

Dans cet environnement troublé, le message d'espoir que j'ai humblement abordé en vous confiant certaines étapes marquantes de mon chemin a pour vocation de vous aider. Une lecture simple et sincère ne pourra que vous prodiguer un peu de bonheur.

Il faut respecter la route de chacun. Vos rencontres, vos propres recherches, votre travail, vos découvertes vous conduiront au bien-être.

Pour ma part, je n'ai pas éprouvé le besoin d'essayer la psychothérapie auprès d'un professionnel. Mais peut-être y trouverez-vous appui et réconfort? Qui sait: si c'est votre parcours, respectez-le, suivez votre intuition, écoutez votre cœur. Prenez le temps de savoir qui vous êtes et où vous avez décidé d'aller.

L'important est d'être du bon côté de la barrière, du côté de la lumière. Rien n'est impossible si nous sommes persuadés de pouvoir le faire. Croyez-en mon expérience – qui commence à être longue!

Ne refusez pas les années qui s'accumulent: vous ne feriez que saper votre moral. Elles sont là, très bien, et alors? Ces années que les autres portent comme un handicap ne vous concernent pas. Vous et moi avons autre chose à faire!

Décidez que vous êtes, à partir d'aujourd'hui, votre meilleur ami.

Donnez-vous simplement la chance d'essayer ce qui est devenu pour moi, après plusieurs années de pratique, une simple habitude. Cette pensée différente, nouvelle, modifiera votre route et votre vie.

Et gardez en tête cette phrase qui revient souvent, tel un leitmotiv, dans la bouche de Véronique Bonhomme, ma coach: «Il faut savoir accepter, avec deux *C*: un *C* pour le cœur et un *C* pour le corps.»

Lettre à vous

Comment oublier notre dernière rencontre ? À jamais gravée dans mon cœur, elle commence à répondre à la question que je me pose depuis 1987, année de ma septicémie.

Pourquoi suis-je revenue sur Terre ?

Quel devoir ai-je à accomplir ?

Aujourd'hui, je crois entrevoir un semblant de réponse.

Lors de mes rendez-vous avec vous, il m'arrive d'observer une réaction que je ne vous connaissais pas.

De plus en plus fréquemment, dès notre première rencontre, toutes générations confondues, je vois des larmes dans vos yeux, des sanglots que j'essuie en vous prenant dans mes bras.

Inquiète, perturbée, j'ai cherché à comprendre ce qui pouvait bien provoquer ces larmes. Je vous ai même posé la question.

Que vous ayez trente, quarante ou soixante-dix ans, votre réponse était toujours la même :

— Trop d'émotion… Je réalise le rêve de ma vie!
Ou encore:
— Tant de choses remontent en moi lorsque
je vous vois! C'est impossible à réfréner, ça vient de
l'intérieur!

Ces larmes sont le plus joli cadeau que vous puissiez me faire. Même si, comme vous, je me sens
chamboulée, émue et parfois mal à l'aise devant vos
sanglots de bonheur.

Ces perles de joie et d'émotion pure qui coulent
sur vos joues, que vous cachez en tournant la tête ou
en vous dissimulant derrière un mouchoir, laissez-les
couler. Car si le rire nourrit son homme, les pleurs
libèrent son cœur. Le vôtre, vous me l'avez donné.
Je suis donc extrêmement touchée et fière de partager, consoler, aimer, échanger ces instants bénis qui
ne ressemblent à aucun autre.

Je ne m'étendrai pas plus, mais je tenais à vous
le dire. Car ces instants privilégiés, venus du ciel,
résument bien notre belle histoire.

Ces instants nous appartiennent.
Gardons-les secrets.
Ils sont le sujet de ce livre que j'ai rempli de tout
mon amour.

Post-scriptum

Défi tenu! Je suis fière de moi : pas une cigarette depuis dix mois. Un bon exemple de ce que la force mentale peut nous aider à accomplir!

Rendez-vous dans dix ans!

Table

REMERCIEMENTS

Une pensée remplie d'amour et des tonnes de bisous à ceux qui m'ont, par leur présence, aidée à parfaire ce livre.

Philippe Berdié, pour avoir été toujours attentif et assidu dans ses lectures, malgré mes questions incessantes.

Dominique Bernatene-Marin, pour avoir transformé mes demandes folles en illustrations et dessins originaux.

Christophe Boulmé, pour son shooting sportif et son regard aimant qui transparaissent au travers de son objectif qui rend beau.

Véronique Bonhomme, pour son investissement, mes multiples courbatures, nos théories sur la vie et nos fous rires.

Jocelyne Marie Marguerite, pour sa douceur et les vibrations magiques de sa voix dans sa méditation des mantras.

Le Dr Henri Chenot, pour ses conseils avisés et personnels en diététique et en désintoxication, reconnus notamment dans le monde sportif.

Un grand merci au studio Le Beaukal et à Christian de Brosses, ainsi qu'à Éric Cuenot, general manager de Nike France.

Daniel Radford, merci à lui d'être encore dans l'aventure de ce nouveau livre et merci d'être pour toujours le rabbin de mon cœur.

Stéphane Letellier, pour sa fidélité, pour nos futurs projets qui s'annoncent merveilleux et parce qu'il répète à bras-le-cœur notre prochain numéro de claquettes!

Lina, pour ses soupes délicieuses qui contribuent à ma bonne forme.

Sans oublier le centre Les Pyramides à Port-Marly (celles de Khéops étant fermées).

Spécial bisous pour Yves, qui «positive» davantage de jour en jour!

Cet ouvrage a été composé
Par Atlant'Communication

Impression réalisée par
CPI France
en septembre 2016
pour le compte des Éditions de l'Archipel
département éditorial
de la S.A.S. Écriture-Communication.

Imprimé en France
N° d'impression : 3018961
Dépôt légal : octobre 2016